Trésors du temps

Teacher's Manual

Yvone Lenard

GLENCOE
McGraw-Hill

New York, New York   Columbus, Ohio   Mission Hills, California   Peoria, Illinois

About the Author

Yvone Lenard

Born and educated in France (*Licence en Droit,* Faculté de Bordeaux) and in the U.S.
(M.A., UCLA), Yvone Lenard has taught at both UCLA and the California State University at
Dominguez Hills (Professor of French). At UCLA, her summer methodology courses drew
secondary school teachers from around the country. She has lectured and conducted work-
shops on methodology in a number of states. She is the author of several widely used
textbooks, including *Parole et Pensée* and *L'Art de la Conversation.*

With the enthusiastic support of her colleagues at Dominguez Hills, Ms. Lenard was nomi-
nated for the California State University's Outstanding Professor Award. In addition, the French
government recognized her services to French language and culture with the prestigious *Palmes
Académiques.* She is also the recipient of the *Arts, Sciences et Lettres* and *Mérite et Dévouement
français* medals.

Dividing her time between her home in the U.S. and a medieval village in Provence, Ms.
Lenard is active in writing both textbooks and fiction. But throughout her thirty-year teaching
career, her first love has always been guiding young Americans to a better understanding of
themselves through the discovery of French language and culture.

Glencoe/McGraw-Hill

A Division of The McGraw·Hill Companies

Send all inquiries to:
GLENCOE DIVISION
McGraw-Hill
15319 Chatsworth Street
P.O. Box 9609
Mission Hills, CA 91346-9609

ISBN 0-02-676651-5 (Student Edition)
ISBN 0-02-676652-3 (Teacher's Annotated Edition)

Printed in the United States of America.

2 3 4 5 6 7 8 9   RRW   03 02 01 00 99 98 97 96

Table of Contents

INTRODUCTION

Trésors du temps: An Overview

Relying as it does on those "treasures of time" bequeathed us by the many centuries of history, literature, and art that make up the past of France, this book addresses the needs of advanced high school students. It is a comprehensive, multiple-approach textbook that provides an in-depth view of France, its culture and its civilization by means of a systematic introduction to French history and literature. At the same time, the grammar that is reviewed and expanded upon in each *Étape,* or chapter, will serve to strengthen language skills.

Trésors du temps is the perfect preparation for college and university classes. Its consistently positive attitude towards learning encourages enjoyment of the French class.

The Spirit of the Book

Trésors du temps is divided into twelve *Étapes* (literally, stages, or phases) corresponding to the main periods of French **history** and civilization. An overview of milestone events of the past, both distant and recent, will provide students with a better understanding of the culture they have been exposed to in their previous French classes. We have focused on those events that have left a lasting mark on today's consciousness and language. Everyone knows, for instance, that a "Napoleon complex" refers to the despotic demeanor of a short man attempting to compensate for his inferior stature, or that the "Joan of Arc complex" refers to a selfless heroine. And who hasn't heard the famous, if apocryphal, "Let them eat cake" of the doomed Marie Antoinette?

The educated person must know not only Napoleon and Joan of Arc, but also Vercingétorix; Charlemagne; the Crusades; the Renaissance and its castles; the "Grand Siècle" of classical splendor; the 18th century of exquisite elegance, the tragic outcome of which was the French Revolution; the 19th century, with Napoleon's conquests and eventual defeat, as well as the Industrial Revolution; and the 20th century, with its bloody World Wars and, finally, the dawning of a European Union. Such a person must also be familiar with the currents of thought that accompanied each period and propelled it into the next.

Literature is best appreciated in its historical context, as it conveys unique ways of life and thought reflected through the prism of each author's particular talent. We have selected passages from the best-known authors, with a view toward featuring those that would be of greatest interest to students today.

Since **language skills** must be intensively honed, a grammar section—with explanations in French so the flow of language need not be interrupted—is part of each *Étape.* Grammar previously studied is reviewed, recapitulated, and expanded upon by the introduction of finer points of stylistics such as the indirect discourse, an indispensible tool for the discussion of literature.

DESCRIPTION OF *TRÉSORS DU TEMPS*

The Structure of Each *Étape*

Each *Étape* consists of four sections: *Un peu d'histoire; Vie et littérature; Perfectionnez votre grammaire;* and *Plaisir des yeux.* A break-down of each section follows.

1. Un peu d'histoire

- A reading dealing with milestone events and important figures of the period
- Vocabulary-building exercises (*C'est beau, les mots!*)
- Comprehension questions (*Votre réponse, s'il vous plaît,* including *Analyse et opinion* questions)
- Oral or written self-expression topics based on the history reading (*Exprimez-vous*)

2. Vie et littérature

- Introduction to general characteristics and writers of the period
- Reading selections (prose, poetry, and/or drama) by some of the most representative authors of the period
- Vocabulary-building exercises (*C'est beau, les mots!*)
- Comprehension questions (*Votre réponse, s'il vous plaît,* including *Analyse et opinion* questions)
- Topics relating students' own experience to the topics dealt with in the reading selections (*Exprimez-vous*)

3. Perfectionnez votre grammaire

- A review of essential, previously-studied points of grammar and an introduction to more advanced skills and concepts
- Exercises (*Application*) of increasing difficulty that test comprehension of the grammar
- Essay or discussion topic(s) that invite(s) students to make intensive use of the grammar at hand in a context relevant to their own lives (*La grammaire en direct**)

4. Plaisir des yeux

- A two-page spread featuring representative works of art of the period, along with text that correlates the art with history and other art forms (drama, poetry, etc.).
- Provocative questions that encourage students to make connections between art and their own lives.

TEACHING WITH *TRÉSORS DU TEMPS*

A Preliminary Teaching Suggestion: Roman numerals

Since Roman numerals are typically used in French with the names of kings and with centuries—Charles V, Louis XIV, XVᵉ siècle, XVIIᵉ siècle, etc.—we suggest that, at some time before you begin the second *Étape*, you take a few moments to ascertain that everyone can easily read Roman numerals, which, for our purposes, are as follows: I (one), II (two), III (three), IV (four), V (five), VI (six), VII (seven), VIII (eight), IX (nine), X (ten), XX (twenty). Remind students that numbers are added to the right and subtracted from the left: XVI is sixteen (ten + five + one), IX is nine (ten minus one), XIV is fourteen, (ten plus four, which is written as five minus one), etc.

If you discern any hesitation, have students write the numerals in their notebooks. You may also wish to ask them to write the following: Charles V, Henri IV, François Iᵉʳ (*premier*), Louis XIII, Louis XIV, Louis XVI, Louis XVIII, Charles IX, Charles X, and XVᵉ siècle, XVIᵉ siècle, XVIIᵉ siècle, XVIIIᵉ siècle, XIXᵉ siècle, XXᵉ siècle, XXIᵉ (vingt-et-unième) siècle. Ask them to read these numerals aloud until no hesitation remains.

***en direct:** the term used in radio and television to indicate a "live" broadcast, as opposed to a previously recorded one. La grammaire en direct is thus grammar "live" as directly applied to one's personal needs of expression.

Teaching Each Section of an *Étape*

1. Un peu d'histoire

You might ask the students to prepare either a part of the reading or the whole text at home, making sure to look up unfamiliar terms in both the glosses that accompany the reading and the glossary at the back of the book. In class, have individual students each read a short paragraph aloud. Correct students' pronunciation only after they have finished since it is best to avoid interrupting the reading.

C'est beau, les mots!

These vocabulary-building exercises can probably be done in class. They are fun and fast. The annotations in your Teacher's Edition of *Trésors* include several tips for getting the most out of the *Jouez le mot* activity found in almost all the vocabulary-building exercises.

Votre réponse, s'il vous plaît

- **The comprehension questions** can best be done in class. Ask that books be closed. You do not want students to read answers (which would show only that they can read, and no more). You want them to answer in their own words and not try to reproduce the text. Make it clear that a personally-worded answer is by far preferable to merely repeating the text.

- **The *Analyse et opinion* questions** require thoughtful reflection. You might want to assign them for homework. Written preparation of these questions is better than purely oral preparation, though you may of course turn this activity into a general class discussion. Walk around the room, engage students in discussion with each other, encourage tentative or timid responses. You probably can find something interesting in all the contributions. The livelier the exchange, the better. If students grope for a word or expression, supply it by writing it on the board. If the subject lends itself to a vote, ask students to vote and have them indicate on the ballot the reason they voted the way they did. Tally the votes and determine the winning position, with the reasons for its success.

Exprimez-vous

These topics are intended for either written or oral expression, essays or discussions. You might use any of a number of techniques:

- **The collective composition** This is particularly effective in the first lessons, when students are still "feeling their way" into the class. Send a student to the board to write down the composition that his or her classmates will compose. (Since writing on the board is tiring, it is wise to change writers several times.) Each student in the class takes a turn contributing a sentence until a coherent paragraph and its conclusion have been obtained. This works very well, with a little help from you in organizing the material. When the collective composition is as perfect as it can be, ask a student to read it aloud before it is erased.

  Tip: Correct errors before they are written, or immediately after, so the wrong form does not fix itself in the students' minds.

- **Small-group or whole-class discussion** In the case of small-group discussions, have each group elect a "reporter" who will report the results of the discussion to the class. Another student can write the conclusions arrived at on the board.

- **Written essay question** Indicate the length of the essay and the format you expect from students. It is good to insist on a flawless presentation as this will lead to a more carefully prepared essay than if you were to allow scribbles and crossed-out words. As for any written work presented to you, in addition to including the student's name and the date (in French), it should have a title and show a clear distribution of paragraphs. Accents and other diacritical marks must be there. (I always ask for *une belle présentation* as well as *un contenu intéressant*.) You may want to suggest terms and expressions that will be helpful in dealing with the subject. Some are indicated for the first four lessons (*Quelques termes utiles*). The best composition(s) may be read aloud in class.

  Tip: Ideally, the reading should be animated and should maintain the interest of the rest of the class. To this end, you may prefer to read the best passages yourself to the class. (I make it a point to find a good passage in **each** composition, in particular in those of students who have shown little interest in the class. This never fails to stimulate their participation.)

  Another tip: The composition is a culmination and an exciting event. Keep the interest high by returning papers quickly, in the very next class if at all possible.

2. Vie et littérature

The notes on the period have been kept brief owing to space limitations, so you might want to give additional information on the characteristics of the period and its foremost authors. You might also wish to assign research topics to your students. For instance: Divide the class into groups and ask each group to research an author other than one of those represented in the book. (You can supply them with names.) Have students find out their author's dates and main works, as well as interesting features of those works. (This information can be easily found in a French literary encyclopedia or anthologies of literature such as Castex et Surer, Lagarde et Michard, or Thoraval et al.)

The pre-reading questions (suggested in the margins of the Teacher's Annotated Edition) serve to stimulate the students' interest in the text that follows by showing its relevance to problems they can connect with. Use them to foster discussion. In particular, relating the text to current events, well-known films or television programs the students are familiar with is always an excellent spur to discussion.

  Tip: When referring to American events, films, TV shows, etc. you may encounter difficulty in maintaining your students' use of French. Make an effort to do so: Write key words on the board, repeat students' statements in French, and have them write what they said (in French) on the board, for instance.

The literary selections we have chosen are by authors who are most representative of their period and will be regularly studied in college. Furthermore, they are frequently included on Advanced Placement reading lists. The passages were selected for their interest to our students. Assign the text for home study and preparation. Unfamiliar terms should be learned from the accompanying glosses or looked up in the glossary at the back of the book. In class, you may want to have the text read aloud by students taking turns. Ask frequent questions to ascertain that it is well understood.

Tip: Do not interrupt to correct pronunciation. Do so after the student has finished a sentence or paragraph.

Drama selections (and dramatizing other readings)
Students enjoy play-acting and often reveal real talent. Ask them to assist you in casting and have them give the reason(s) for their choice, a good language exercise in itself. You may decide whether each actor should memorize his or her part or should be allowed **some** aid (cue cards?). Appoint a "metteur en scene*" (or several) to stage the play. Texts not specifically written as drama may also lend themselves to play-acting. The *Vase de Soissons* episode, for example, has often been successfully turned into a dramatic playlet. To transform it from prose, students must, as a collective exercise, compose the dialogue with parts for each character, making sure not to repeat the text and yet remain faithful to its meaning. The class writes the dialogue down and follows the text as actors speak their parts.

Tip: Props, such as headgear, go a long way in delineating a character. (The illustrations may help in contriving "period" gear.) Ask each character to find a prop that indicates his or her character. This certainly helps enliven the performance.

C'est beau, les mots!

As you have seen above in *Un peu d'histoire,* these vocabulary-building exercises are fun, quick, and easy and should be done in class. You will find tips on *Jouez le mot* in the annotations in the Teacher's Edition of *Trésors du temps.* You may want to expand on this exercise by assigning a term to each student who must then use it in an original sentence and write it on the board. These must not, of course, repeat or paraphrase the sentence in the exercise.

Votre réponse, s'il vous plaît

• **The comprehension questions** You might want students to ask each other the questions. As with the history readings, it is better that they do not refer to the text for their answers but use their own words and give their own interpretations.

• **The *Analyse et opinion* questions** I would recommend assigning these either as homework or, if time allows, to be written in class, since written notes will help organize thought. You can then conduct a general discussion, making sure everyone contributes, or else divide the class into discussion groups. (As with the *Analyse et opinion* questions for the history readings, you may ask each group to appoint a "reporter" who reports on the group's verdict.)

Tip: When the subject lends itself to a vote, it might be fun to vote on the issue, with students giving the reason(s) they voted as they did.

Exprimez-vous

Please refer to *Exprimez-vous* in *Un peu d'histoire* above for recommended techniques.

Tip: You probably prefer some variety, so if you use a certain technique for *Exprimez-vous* in the history section, use a different one in the literature section.

3. Perfectionnez votre grammaire

The general consensus among teacher's requests we receieved was for the grammatical explanations in *Trésors du temps* to be written in French, so that the flow of language would not be interrupted.

Review Material and the Diagnostic Tests Since much of the grammar is actually a review of material studied in previous French classes, you may assign the lesson for home study. The Diagnostic Test which introduces each *Étape* of the Writing Activities Workbook might be useful beforehand to determine which points need further explanation in class. (For a description of the Diagnostic Test, see this Teacher's Manual, page 7.)

Introducing New Material You may wish to introduce "new" materials, such as the literary past or the indirect discourse, in class following the multiple-approach method.

Tip: (Indirect discourse, for instance) You say: «Je suis allé(e) au cinéma. Qu'est-ce que j'ai dit?» The answer you want to obtain: «Vous avez dit que vous étiez allé(e) au cinéma.» Have the answer written on board. Then say: «Je suis allé(e) au cinéma hier soir. Qu'est-ce que j'ai dit?» The answer you want to obtain (suggest it if necessary): «Vous avez dit que vous étiez allé(e) au cinéma la veille.», etc. Proceed in this fashion for all the different terms that are the components of the indirect discourse. Assign the lesson only after the students have been made familiar with the material first through hearing, then speaking, then writing and reading. This is an excellent way to correlate the oral/aural aspects of language.

---

*metteur en scene: a masculine noun which (like écrivain) has no feminine form. Le metteur en scene est Suzanne Smith.

Application

You may want to do the exercises in class, right after the explanations of grammar are given as needed. As mentioned before, much of the material is already familiar to students.

You may prefer to assign exercises for homework and correct them in class, having students exchange copies (when the nature of exercises makes this feasible). Otherwise, collect them and check them while students prepare the next activity.

Since grammar is an important component of the lesson, you might want to supplement the exercises offered in the book with related exercises in the Writing Activities Workbook (see below for a more detailed description). The Test Bank materials (beginning on page 33) have been devised for this purpose as well as for testing. Select exercises best suited to your class's needs and prepare sheets to be handed out to students. You may use these sheets as additional exercises or as grammar spot checks.

La grammaire en direct

As its name suggests, this is grammar "live," applied by the students for purposes of self-expression, in the "live" context of their own experience. You may deal with this exercise in any of several ways. You may ask each student to prepare and give a short (3-minute) exposé on the subject. The listeners will think of questions to ask the speaker. Or else, apply any of the techniques suggested above for the *Exprimez-vous* topics.

In any case, make it a point to have students seek out creative uses of the grammar in a variety of contexts. Emphasize the fact that your evaluation of them will take into account consistent and correct application of the principles under study (though not, of course, to the exclusion of a varied vocabulary and well thought-out sentences).

4. Plaisir des yeux

This double-page art spread offers the students a glimpse into the artistic expression of the period*. The text describes and provides insights into the works represented. You may treat this section in a variety of ways:

- Ask students to describe each work. Ask why this is art and how they recognize its artistic value. Foster connections between history, literature, and other forms of artistic expression of the period.

- Expand on the information given, taking it as a point of departure. Ask students to find other examples of art from the period, to bring in pictures of them, and to explain them to the rest of the class. Why do they reflect their times? Why were they worth preserving over time?

- Suggest an art topic for all the students or just for students who volunteer. For instance, research an art form (the cathedrals, their stained glass, castles, precious objects, painting, drawing, sculpture, architecture, etc.) and report to the class. For periods (from the Renaissance on) when artists' names are known, assign research to be done on one artist in particular.

- Organize a field trip to a museum where students can identify French works (as well as others, of course). Have students prepare reports on their experience.

- If your school has access to the Internet, you and your students can do research on art, music, literature, and language at the many French sites on the World Wide Web that are directly related to the material in *Trésors*.

- What about challenging the students' own artistic talents? Ask them to produce a work of art (a drawing? a painting? something else?) inspired by what they have learned of the period and its spirit. Art thus produced must be titled in French and accompanied by an explanatory note about its inspiration and execution. Display the art around the room. Students rank each piece, giving reasons for their vote, and in this way combine a language activity with an artistic one.

---

* The exception: In *Deuxieme étape*, the art of the period (which is extensively shown in the chapter's illustrations) is replaced with pages from the highly successful comic strip Astérix. We titled it (humorously) *L'humour gallo-romain* although it is, of course, a contemporary production. But it deals with the period following the conquest of Gaul by the Romans and its irreverent attitude accurately reflects the French way of dealing with adversity.

COMPONENTS OF
TRÉSORS DU TEMPS

Teacher's Annotated Edition

In the margins of the Teacher's Annotated Edition you will find answers to most of the exercises as well as supplementary information related to the topic at hand, often under the heading *Did You Know?*. There are also numerous cross-references to other relevant material (text, photos, art works, etc.) in *Trésors*. These can be found under *Art, Literature* or *History Connection*. Another heading, *Note*, will frequently refer you to further information in the Teacher's Manual. *Additional Topics* provide supplementary oral or written practice of a given *Exprimez-vous* subject. The exercises or activities to which *Additional Practice* refers you (in the Writing Activities Workbook or the Teacher's Manual) complement the presentation of material in the textbook. With *Vocabulary Expansion* suggestions, you can give your students additional related words to enhance their French vocabulary. *Teaching Tips* may provide you with alternative or novel methods of presenting a topic. As mentioned above, every literary selection is preceded by a number of *Pre-reading Questions* to stimulate your students' interest in the *Lecture* that follows. Finally, the Teacher's Manual contains all answers not already printed in the margins of this Annotated Edition and additional information related to the history, literature, and art of each *Étape*.

Test Bank

Beginning on page 33 of this Teacher's Manual you will find a **Test Bank** that offers one test per *Étape*. Each test includes a variety of questions based on the different parts of each *Étape* for your use in preparing examinations. Further information on how to use these tests appears at the beginning of the Test Bank section.

Please note that each *Étape* of the Writing Activities Workbook begins with a **Diagnostic Test**. (See the description of these tests and information on their use below.)

The Writing Activities Workbook

The Writing Activities Workbook is an important adjunct to the student textbook. It offers considerable material for extra practice, from grammar drills to creative writing. It provides, as well, excellent enrichment sources for honors students. Each chapter corresponds to one of the 12 *Étapes* in the student textbook. Its main features include:

- **The Diagnostic Tests (or *La grammaire en un coup d'œil*).** These are not, strictly speaking, "tests" since they are not given primarily for grading purposes. Their aim, instead, is to determine how much of previously-studied material has been retained. ("**Who** remembers **what**, and **how well**?") Results will help the instructor in determining the extent of work that should be done on the grammar section and how much attention each student requires. The Diagnostic Tests provide questions that test the grammar points of each lesson. They are of such a nature that we hope everyone will score 100%, but if that is not the case, the weaknesses revealed by the tests will warrant supplementary work on the subject.

  A Diagnostic Test can be found at the beginning of each *Étape*, but it can also be administered just before starting the *Perfectionnez votre grammaire* section. It should be administered in class and can easily be peer-corrected.

- *Pour en savoir plus...* This section presents a short reading text related to the period studied in the corresponding *Étape*. Each reading is followed by a set of vocabulary, comprehension and analysis questions.

- *Application de la grammaire* The variety of exercises offered in this section supplement those in the student textbook. Some are of the drill type, others require a more creative application of the rules.

- **Line Drawing with Questions** This is, in fact, another grammar exercise. Since Advanced Placement tests often present students with line drawings as a subject for language exercises, we too offer, for each lesson, a **line drawing** accompanied by a set of questions requiring observation, followed by an imaginative application of the grammar of the *Étape*.

- *Dictée* An excellent comprehension writing exercise, the *dictée* is based on the *Lecture* and uses its vocabulary as well as grammar points from the lesson. It can be given in class. Instructors might want to have one or more students write it on the board for correction by peers.

• *La grammaire en situation* This feature proposes one or two composition subjects requiring a short essay answer. Subjects proposed are designed to encourage extensive use of grammar points just studied, as well as creative use of vocabulary.

ANSWERS AND NOTES

PREMIÈRE ÉTAPE

ANSWERS

Un peu d'histoire   page 5

E 1. Les fleuves, les rivières, les plaines et les montagnes sont les éléments qui forment le relief d'un pays.
2. Un fleuve se jette dans la mer. Une rivière se jette dans une autre rivière ou dans un fleuve.
3. La France est une péninsule de l'Europe. L'Europe est un promontoire du vaste continent asiatique.
4. La France est à l'ouest de l'Europe. Sa population est formée de peuplades diverses, venues de différentes parties de l'Europe.
5. La préhistoire est la période qui date d'avant l'histoire (d'avant l'existence de documents écrits).
6. Un menhir est une pierre levée et un dolmen, des pierres arrangées en forme de table gigantesque. Des alignements sont de longues lignes de menhirs qui serpentent pendant plusieurs kilomètres. On en trouve à Carnac.
7. Les alignements traçaient peut-être les courants magnétiques de la terre. Les dolmens étaient des autels aux dieux ou bien des observatoires rudimentaires ou peut-être une caisse de résonance des forces cosmiques.
8. Il n'y avait pas de machines et les hommes faisaient tout le travail.
9. Non. Avec leurs technologies différentes et leurs manières de penser autres, ils avaient une autre conception de la réalité.
10. Non. Les dinosaures habitaient la terre il y a cent millions d'années. L'homme est arrivé il y a juste deux ou trois millions d'années.

11. Des objets de la vie journalière préhistorique sont: des pointes de flèches, des couteaux de silex, des outils de pierre, des aiguilles d'os.
12. Les objets de la vie journalière, les peintures dans les cavernes, les menhirs, les dolmens et les alignements sont des signes laissés par la préhistoire.

Vie et littérature

La France, ses provinces et ses départements   page 10

B 1. La France est plus petite que les États-Unis. *Answers will vary.*
2. Les frontières naturelles de la France sont: les Pyrénées, qui la séparent de l'Espagne; les Alpes, qui la séparent de l'Italie et de la Suisse; le Rhin, qui la sépare de l'Allemagne; la Manche au Nord, l'océan Atlantique à l'ouest et la Méditerranée au sud. Les frontières naturelles des États-Unis sont: l'océan Atlantique à l'est, l'océan Pacifique à l'ouest, le golfe du Mexique au sud, les Grands Lacs au nord qui les séparent du Canada et le Rio Grande au sud, qui les sépare du Mexique.
3. Oui, il y a une diversité dans la population française parce que la France est formée de peuplades venues de différentes parties de l'Europe.
4. C'est une région humide et verte, célèbre pour ses produits laitiers. Ses habitants sont prudents et économes. *Answers will vary.*
5. La Bretagne a un sol pauvre. Elle touche la Manche et l'Atlantique et son industrie de pêche est importante. Elle produit aussi des primeurs renommés parce que le Gulf Stream, qui passe à proximité, réchauffe son atmosphère.
6. On dit que les Bretons sont têtus parce qu'ils tiennent à garder leur langue, le breton, et leurs anciennes coutumes.
7. On en fait des parfums. Oui, comme, par exemple, le Numéro Cinq de Chanel, Shalimar de Guerlain, Miss Dior de Christian Dior, etc.
8. On élève le bétail charolais et on produit d'excellents vins.
9. Elles convergent vers Paris.
10. La Révolution voulait éliminer les traces de l'administration royale et former une nation unie, dans un pays moderne, unifié et centralisé sur Paris.

11. Answers will vary but may include the following: Bretagne: le Finistère, les Côtes-d'Armor, le Morbihan. Normandie: la Manche, le Calvados, la Seine-Maritime. Provence-Côte d'Azur: le Var, les Alpes de Haute-Provence, le Vaucluse

12. Une région économique réunit plusieurs départements qui ont des intérêts économiques communs.

DEUXIÈME ÉTAPE

ANSWERS

Un peu d'histoire   page 30

D 1. La date qui marque le commencement de l'histoire de France, est 50 avant notre ère. C'est la date de la conquête de la Gaule par les Romains. On dit *avant notre ère*.

2. Le titre du document écrit par Jules César pour relater sa conquête de la Gaule est *De bello gallico*. Tout élève de latin le lit.

3. Les Grecs ont fondé Marseille, sur la Méditerranée, près du delta du Rhône. Sa situation permettait aux Romains de contrôler le passage le long du Rhône, de la Loire et de la Seine.

4. Les habitants de Massilia ont fait appel aux Romains pour les protéger contre les Gaulois.

5. Vercingétorix était un jeune chef gaulois qui menait la résistance contre les Romains. Il a été vaincu, fait prisonnier et emmené à Rome, où il a finalement été exécuté.

6. La Provence vient du latin *Provincia romana* (la province romaine).

7. La conquête romaine est bonne pour les Gaulois parce que les Romains leur apportent une excellent administration, des routes solides en pierre, des monuments, etc.

8. Les barbares ont attaqué Rome, qui a enfin décidé d'abandonner la ville de Rome et de se replier sur Constantinople. La date de la chute de l'Empire romain est 476, date où Odoacer brûle et pille Rome.

9. C'est par l'Édit de Milan que Constantin dit que toutes les religions sont acceptables dans son empire.

10. L'Église sauve le pays d'un retour à la sauvagerie complète.

11. C'est le chef d'une armée barbare. Il est devenu célèbre parce que c'est le premier roi chrétien de France.

12. Non, on ne connaît pas l'origine de la fleur de lis. Il est possible que la fleur de lis ait été reprise par Clovis comme son emblème parce que c'était l'emblème de la Judée et du roi David. On retrouve souvent cet emblème au cours de l'histoire parce que tous les rois de France l'ont ensuite gardé comme emblème royal.

13. Le Moyen-Âge est la période qui va de la chute de l'Empire romain (à Rome) en 476 à la chute de Constantinople (1453), ou bien à l'invention de l'imprimerie en 1440.

Vie et littérature

D *De bello gallico*   page 36

1. Non, ils étaient païens et avaient leur propre religion parce qu'ils vivaient avant le christianisme. Ils adoraient un grand nombre de dieux.

2. Ils ne vont pas à la guerre et ils ne paient pas d'impôts. Les études étaient très longues——vingt ans et plus.

3. C'est le livre que César a écrit et dans lequel il parle de sa conquête de la Gaule et des habitants de ce pays.

4. Les druides cherchent du gui qui pousse sur un chêne. Quand ils l'ont trouvé, le plus agile des druides monte à l'arbre et avec une faucille d'or il coupe le gui qui tombe dans un drap de pur lin blanc étendu sous l'arbre. Ils crient «Au gui l'an neuf!» Chaque chef de famille emporte son brin de gui sacré qui protège du mal pour l'année qui commence. Dans notre culture il est de tradition de mettre du gui au-dessus d'une porte et de s'embrasser sous le gui pour fêter le nouvel an.

5. Il portait de longs cheveux qu'il blondissait à l'eau de chaux. On le représente souvent coiffé d'un casque surmonté de petites ailes. Il avait vingt ans.

6. Non. Il n'est pas extraodinaire aujourd'hui de voir des hommes aux cheveux longs et blondis.

Le Vase de Soissons

7. Non, le vase était dans une autre église.
8. Ils ont demandé au roi de retrouver le vase qui est leur trésor.
9. Ils le partagent également entre les soldats et le roi. *Answers will vary.*
10. Il brise le vase parce qu'il est jaloux et stupide et ne veut pas que le roi ait rien d'autre que ce que le sort lui donne.

NOTES

Un peu d'histoire

Exprimez-vous   page 31

Additional Topic
Quelle est la date (arbitraire, bien sûr!) qui marque le commencement de l'histoire des États-Unis? Pourquoi a-t-on choisi cette date? Peut-on faire une comparaison entre cette date et celle qui marque le commencement de l'histoire de France?

Vie et littérature

Exprimez-vous   page 36

Additional Topic
Vous lisez le journal ou vous regardez la télévision. Que se passe-t-il aujourd'hui qui indique que le monde a (ou n'a pas) changé depuis le temps de Vercingétorix, César et Clovis?

Perfectionnez votre grammaire

Vocabulary Expansion   page 40
Write the following adjectives on the board and ask students to give you the corresponding verbs.

ADJECTIFS	VERBES
beau/belle	*embellir*
blanc	*blanchir*
bleu	*bleuir*
blond	*blondir*
brun	*brunir*
clair	*éclaircir*
court	*raccourcir*
frais	*rafraîchir*
grand	*grandir*
gros	*grossir*

jaune	*jaunir*
jeune	*rajeunir*
maigre	*maigrir*
noir	*noircir*
pâle	*pâlir*
pauvre	*appauvrir*
riche	*enrichir*
rouge	*rougir*
sale	*salir*
terne	*ternir*
vert	*verdir*
vieux/vieille	*vieillir*

Remarquez: Juste une petite exception! Le verbe formé sur *petit* est *rapetisser*. (Mais notez la présence de l'infixe *-iss-*.)

> Quand une famille *grandit*, la maison a l'air de *rapetisser*.

Plaisir des yeux

Discussion   page 51

Additional Topic
À qui vous identifiez-vous? Est-ce que vous vous identifiez à un des personnages d'*Astérix le Gaulois*? Pourquoi?

TROISIÈME ÉTAPE

ANSWERS

Un peu d'histoire   page 58

F 1. On les appelle les rois fainéants parce que c'étaient de mauvais rois, faibles et paresseux.
2. Le vrai chef du gouvernement était le maire du Palais.
3. Charles Martel était un maire du Palais qui a sauvé la France de l'invasion arabe. Il a écrasé les forces musulmanes à Poitiers en 732.
4. La capitale de Charlemagne était Aix-la-Chapelle. Cette ville est en Allemagne aujourd'hui.
5. Un roi tient son pouvoir de Dieu et le transmet à ses descendants. Un empereur—souvent un chef militaire—peut être élu.
6. Il est couronné par le Pape en 800.

7. Il est considéré une grande figure de l'histoire de France parce qu'il agrandit considérablement son empire et établit les bases d'une administration dans les provinces. Il fonde des écoles et s'intéresse à la philosophie.

8. *La Chanson de Roland* a son origine dans un fait historique: Après l'expédition contre les Arabes en Espagne, l'armée de Charlemagne traversait les Pyrénées quand un groupe de Basques a attaqué et tué l'arrière-garde, commandée par Roland.

9. C'est l'invasion des Normands (ou Vikings).

10. Le roi Charles le Simple leur donne la province nord de la France (la Normandie) et les Normands, par un exemple d'adaptation assez rare, acceptent les coutumes, la langue et la religion des Français.

11. Paris est attaqué huit fois. On protège les fortifications de bois en les couvrant de peaux de bêtes fraîches qui arrêtent l'incendie.

12. Guillaume est duc de Normandie. Quand le roi d'Angleterre meurt, Guillaume considère qu'il a des droits sur la couronne d'Angleterre mais les barons anglais la donnent à Harold. Alors Guillaume traverse la Manche avec sa flotte, attaque l'Angleterre et gagne la bataille de Hastings. Il devient ainsi roi d'Angleterre sous le nom de Guillaume le Conquérant.

13. La date de la conquête de l'Angleterre est 1066.

Vie et littérature

D *La Chanson de Roland*   page 65

1. Une chanson de geste est un long poème qui raconte l'aventure héroïque d'un personnage du passé, déjà devenu légendaire. Les chansons de geste datent du Moyen-Âge. Leur sujet, en général, est la guerre, le courage, des actions merveilleuses, pas l'amour.

2. Dans la réalité Roland, ou Hrodlandus, est un officier de Charlemagne qui commande l'arrière-garde de son armée. Dans *La Chanson*, Roland est le neveu de Charlemagne, qui l'aime comme un fils, et il est fiancé avec Aude, la sœur de son inséparable compagnon Olivier.

3. De retour d'Espagne, en traversant les Pyrénées, Roland est attaqué par un groupe de Basques. Dans la *Chanson,* il est attaqué par cent mille Sarrasins, parce qu'il a été trahi par Ganelon.

4. Pour se préparer à la mort, Roland se couche sous un arbre, tourné vers l'Espagne (pour que tout le monde voie qu'il est brave) et demande pardon à Dieu de ses péchés.

5. Il y a très peu de femmes dans la *Chanson de Roland* parce que les femmes ne jouaient pas un rôle important dans les histoires de guerre.

6. Aude est la sœur d'Olivier et la fiancée de Roland. Quand Charlemagne lui dit que Roland est mort, elle ne veut plus vivre, et elle meurt. *(Answers to the last two questions will vary.)*

Tristan et Yseut

7. Un roman courtois est une œuvre en prose destinée à un public de dames. Son sujet est l'amour.

8. Elle habite en Irlande. Tristan vient la chercher parce qu'elle est fiancée avec le roi Marc, l'oncle de Tristan.

9. Sa mère a préparé une potion magique pour assurer le succès du mariage d'Yseut avec le roi Marc. Mais sur le bateau Tristan et Yseut boivent par erreur la potion et tombent amoureux l'un de l'autre pour la vie.

10. Tristan part du royaume de son oncle, qu'il aime beaucoup, parce qu'il ne veut pas le déshonorer. Il se marie plus tard.

11. Il est blessé dans un combat, par une lance empoisonnée.

12. Il donne sa bague à son serviteur et lui demande de dire à Yseut qu'il va mourir et qu'il voudrait la voir avant de mourir.

13. La femme de Tristan lui dit que la voile du bateau est noire. Elle est jalouse.

14. Tristan meurt de désespoir et Yseut, quand elle le voit mort, meurt aussi. Le roi Marc prépare deux tombes pour Tristan et Yseut. Une ronce pousse sur la tombe de Tristan et se penche sur la tombe d'Yseut. Les gens essaient de la couper mais elle repousse toujours. Ils comprennent qu'il s'agit là d'une force plus puissante qu'eux. Alors le roi Marc donne l'ordre de ne plus couper la ronce et de la laisser pousser en paix.

Application

D 1. Je venais de (d')... quand cette classe a
commencé.

2. Tristan et Yseut venaient de boire la potion
magique (le philtre d'amour) quand ils sont
tombés amoureux.

3. Tristan allait mourir si Yseut ne venait pas
quand il était blessé.

4. La belle Aude n'allait pas épouser le fils du roi,
Louis.

5. Je n'allais pas venir à l'école.

page 79

E 1. Charlemagne **a eu**, pour son époque, une
longue vie, et il **a été** une grand empereur. Il **a
fait** la guerre aux Arabes en Espagne, mais il **n'a
pas gagné** de grandes victoires. En 800, il **est
venu** à Rome, et là, le Pape **l'a couronné**
empereur. Quand son armée **a traversé** les
Pyrénées, des ennemis **ont attaqué** l'arrière-
garde, **ont fait** rouler des rochers, **ont terrifié** les
chevaux, **ont tué** les soldats et **ont pillé** les
bagages. Roland a **combattu** héroïquement,
mais il **est mort**. Les saints **sont descendus**
alors du Paradis et **ont emporté** à Dieu l'âme du
bon chevalier.

2. Quand Aude **a appris** que Charlemagne était de
retour au palais, elle y **a couru**, et lui **a demandé**
où était son fiancé Roland. Charlemagne **a tiré**
sa barbe, **a regardé** ses barons et lui **a répondu**
que Roland était mort. Il lui **a offert** son fils
Louis en mariage, mais Aude **est tombée** morte
aux pieds de l'empereur et les barons **ont
pleuré**.

3. Guillaume **est parti** pour l'Angleterre avec sa
flotte. Il **est arrivé** à Pevensey, et de là, il **est allé**
à Hastings où il **a rencontré** les forces de
Harold. La bataille **a duré** toute la journée.
Nombre de soldats **sont tombés** blessés et
d'autres **sont morts**. Harold **est mort** d'une
flèche dans l'œil. Guillaume, après sa victoire, **a
pris** le nom de «Conquérant» et **est devenu** roi
d'Angleterre.

page 79

F 1. Avant neuf heures ce matin j'avais déjà fait mon
lit / déjeuné / mangé des céréales et bu du lait /
parlé au téléphone / dit au revoir à mon père /
expliqué à ma mère que j'avais besoin de nouveaux vêtements.

2. Avant de partir en voyage, Lise et Caroline
avaient (déjà) fait des projets / étaient (déjà)
allées à la banque / avaient (déjà) acheté une
valise / avaient (déjà) pris leur billet / avaient
(déjà) dit au revoir à leurs amies / étaient (déjà)
allées à l'aéroport.

3. Avant le match de foot, Luc avait déjà fait beaucoup d'entraînement / était déjà allé au gym /
avait déjà fait de la musculation / avait déjà
promis une grande victoire / avait déjà insulté
l'équipe rivale / avait déjà emporté ses affaires /
avait déjà mis son uniforme / était déjà arrivé
sur le stade.

page 80·

G 1. Vercingétorix avait combattu les Romains avant
de jeter ses armes aux pieds de César.

2. Clovis avait promis de devenir chrétien avant
d'accepter le baptême.

3. Charles Martel avait frappé ses ennemis avant
de gagner le surnom «Martel».

4. Charlemagne avait combattu les Arabes avant
son retour d'Espagne.

page 80

H Tristan **est parti** de son pays et **est allé** en Irlande,
parce que c'**était** là qu'**habitait** Yseut, la fiancée de
son oncle, le roi Marc. Marc **était** âgé et il **avait
demandé** à Tristan de faire ce voyage parce qu'il ne
pouvait pas quitter son royaume.

Tristan **est arrivé** en Irlande et **a rencontré** la belle
Yseut. La mère d'Yseut lui **avait donné** en secret
une potion magique et elle **avait recommandé** à
Yseut de la partager avec Marc.

Hélas, sur le bateau qui **revenait** d'Irlande, Tristan
et Yseut **ont bu** par erreur cette potion magique et
ils **sont tombés** amoureux. Tristan ne **voulait** pas
trahir son oncle qu'il **respectait**, mais il **savait** que
c'**était** un amour fatal qui l'**avait frappé** et qu'il ne
pouvait pas résister.

Un jour, par sa fenêtre, le roi Marc **a surpris** les amoureux. Ils **étaient** près d'une fontaine. Marc ne **les a pas vus**, mais il **a vu** leur réflection dans l'eau de la fontaine. Alors, il **a chassé** Tristan qu'il **avait beaucoup aimé**...

Tristan **est parti, est arrivé** dans un autre pays, **a rencontré** une autre femme et **l'a épousée**. Mais il **n'a pas oublié** Yseut et quand il **a compris** qu'il **allait** mourir, il **a demandé** à son serviteur de traverser la mer. Le serviteur **est revenu** avec Yseut. Mais la femme de Tristan **était** jalouse et elle lui **a dit** que Yseut **n'avait pas voulu** venir. Alors Tristan **a fermé** les yeux et **est mort**. Quand Yseut **l'a vu** mort, elle **a pris** place près de lui et elle **est morte** aussi.

page 81

J 1. On vous a souvent dit de faire attention.
2. Je n'ai pas toujours obéi à mes parents.
3. Nous n'avons pas beaucoup joué au tennis cette année.
4. Notre équipe de foot a quelquefois perdu les matchs.
5. Nous écrivions encore notre examen quand la cloche a sonné.
6. À votre âge, Napoléon avait déjà gagné des batailles.
7. Vous n'avez peut-être pas assez étudié.
8. Le frigo est vide. Tu as tout mangé!

Quatrième Étape

ANSWERS

Un peu d'histoire   page 90

D 1. On appelait Terre Sainte la région qui s'appelle aujourd'hui l'Israël. On l'appelait ainsi parce que c'est là que le Christ a vécu et est mort.
2. Les Turcs les attaquaient, les volaient et les tuaient même souvent.
3. Une Croisade est un pèlerinage à destination de Jérusalem qui, disaient les prêtres, procurait le pardon des péchés et garantissait le paradis. Le terme vient du fait que les pèlerins portaient une croix de tissu rouge sur l'épaule.

4. Non, tous n'y sont pas arrivés parce que beaucoup sont morts de faim, de soif ou de maladie en route ou bien attaqués par les gens des pays qu'ils traversaient.
5. Les musulmans ont gagné les Croisades.
6. Les Croisés ont découvert la civilisation orientale et en ont rapporté des goûts plus raffinés (la soie, les brocards, les tapis). Ils ont goûté les épices et découvert de nouveaux fruits. Et ils ont pris contact avec des idées nouvelles.
7. Une cathédrale est l'église d'un évêque. Elles sont de style roman ou gothique. Les plus célèbres sont Reims, Notre-Dame de Paris et Notre-Dame de Chartres.
8. Quand le roi de France meurt sans héritier mâle direct, Edward III d'Angleterre, fils d'une princesse française, demande la couronne de France. Les barons français ne veulent pas «donner» la France à l'Angleterre et invoquent la loi salique. Alors la guerre commence.
9. Il n'y a pas de reines en France parce que la loi salique interdit de donner la couronne à une femme ou aux descendants de cette femme.
10. Les soldats des deux armées détruisent villages et fermes, volent et pillent partout. L'Angleterre remporte de grandes victoires. Il y a aussi des épidémies de peste et des famines.
11. Les Anglais tiennent une grande partie de la France, y compris Paris. Henry V, roi d'Angleterre, est couronné roi de France. Le Dauphin est abandonné de presque tous et a peur d'être victime d'un complot.
12. Jeanne d'Arc était une jeune fille pieuse qui a entendu des voix de saints qui lui disaient de délivrer la France. Elle a obtenu une troupe d'hommes armés et est allée à Chinon pour convaincre le Dauphin de lui donner une armée. Elle a délivré Orléans et remporté d'autres victoires. Elle a conduit le Dauphin à Reims, où il a été sacré roi de France. Elle avait 17 ans.
13. Elle a été jugée comme sorcière par les Anglais, condamnée à mort et brûlée vive à Rouen. C'était une condamnation injuste.
14. Jeanne était une héroïne parce qu'elle a sauvé la France et parce qu'elle a donné aux Français le sens du patriotisme.

Vie et littérature

La Farce de Maître Pathelin   page 101

D 1. Une farce, au Moyen-Âge, est une pièce de théâtre comique où on se moque souvent des professions et surtout de l'autorité. Le public du Moyen-Âge adorait les farces parce qu'il aimait rire et se moquer.

2. Il lui a vendu six aulnes de bon drap. Il vient chez Maître Pathelin pour demander son argent.

3. Non. Elle dit que son mari est très malade, qu'il va mourir, et qu'il n'a pas quitté son lit depuis trois mois.

4. Il fait semblant de prendre le drapier pour un médecin et de divaguer pour ne pas payer le drapier.

5. Il a convoqué Thibaut parce que le berger a tué et mangé nombre de ses moutons.

6. Le berger est humble. Il est coupable et ne veut pas aller devant le juge.

7. Le juge est pressé. Son désir essentiel, c'est de rentrer chez lui.

8. Il lui a conseillé de répondre seulement *Bêe* à toutes les questions du juge. Le juge pensera peut-être qu'il est trop stupide pour voler les moutons.

9. La présentation du drapier est confuse. Il mélange tous ses problèmes.

10. Les réponses du berger à toutes les questions sont *Bêe*. La conclusion du juge est que Thibaut est fou.

11. Le juge décide qu'ils sont fous tous les deux. Il dit au berger de retourner à ses bêtes et au drapier de rentrer chez lui. C'est bon pour le berger parce qu'il n'est pas obligé de payer le drapier.

12. Ce sont le drapier et Maître Pathelin qui perdent dans cette affaire.

13. Il demande son argent.

14. La réponse du berger, c'est *Bêe*.

15. Le seul vrai gagnant, c'est Thibaut.

«La Ballade des pendus»   page 104

E 1. Il était poète et un mauvais garçon de Paris. Il a été condamné à mort mais finalement il n'a pas été pendu. Il vivait au Moyen-Âge (au XVe siècle.) Il a disparu après 1463, à l'âge de 32 ans.

2. Il a écrit ce poème en attendant son exécution à Montfaucon.

3. Il décrit les pendus, desséchés et noircis, les yeux mangés par les oiseaux.

4. Des images concrètes: la chair qui est dévorée et pourrie, les os qui sont devenus cendre et poudre, le corps lavé par la pluie et desséché par le soleil, les yeux mangés et la barbe et les sourcils arrachés par les oiseaux, le corps charrié par le vent et becqueté comme des dés à coudre. Ces images évoquent l'horreur de la mort.

5. Il demande aux passants de ne pas avoir le cœur endurci contre ces pendus mais d'avoir pitié d'eux. Il leur conseille de prier Dieu d'absoudre tout le monde.

Application

page 115

H 1. Elle lui dit que son mari est bien malade.

2. Il lui dit de lui donner ses neuf francs.

3. Elle lui demande de parler plus bas.

4. Il lui conseille de faire semblant d'être idiot.

5. Il lui conseille de ne pas répondre aux questions.

6. Il lui répète que le berger et Pathelin sont des voleurs.

7. Il lui conseille de retourner à ses bêtes.

8. Il lui demande de lui payer pour ses services.

I 1. Envoie-la-moi.

2. Rapporte-m'en un.

3. Téléphone-la-moi.

4. Parle-nous-en.

5. Décris-les-nous.

J 1. Ne l'y mets pas.

2. Ne le regarde pas.

3. Ne le lui dis pas.

4. Ne leur en donne pas.

5. Ne lui en apporte pas.

ANSWERS

Un peu d'histoire   page 123

C 1. Les Grandes Découvertes du XVᵉ sont la boussole et l'imprimerie.

2. Une boussole est un instrument dont l'aiguille pointe toujours vers le nord. C'est un instrument qui aide à déterminer la longitude.

3. Christophe Colomb cherchait une autre route vers l'Inde. Il a découvert les Antilles.

4. Jacques Cartier a découvert le Canada. Montréal et Québec sont deux grandes villes du Québec.

5. Gutenburg a inventé l'imprimerie en 1440.

6. Il a imprimé la Bible. Elle a quarante-deux lignes par page.

7. François Iᵉʳ. Il devient roi en 1515. Il est beau, jeune, plein d'énergie.

8. C'est une phase de transformation, de modernisation, de découverte et d'admiration de la culture classique.

9. Les châteaux de la Loire sont des résidences de plaisir des rois et des nobles, comme, par exemple, Chenonceaux, Azay-le-Rideau, Ussé et Chambord.

10. Luther a commencé la Réforme en Allemagne parce qu'il était exaspéré par les excès de certains vendeurs d'indulgences.

11. La Réforme est la cause d'une succession de guerres civiles de religion, qui dressent catholiques contre huguenots. Le pays est à feu et à sang jusqu'à l'arrivée d'Henri IV. La Réforme dure encore. Les Réformés s'appellent aujourd'hui les protestants des divers cultes.

12. Henri IV a terminé les guerres de religion. Il est bon, raisonnable et modéré. Il s'est converti au catholicisme et s'est fait baptiser.

13. Il est assassiné par un fou fanatique, Ravaillac.

Vie et littérature

«La naissance de Pantagruel»   page 127

D 1. Sa mère est morte en le mettant au monde.

2. Il est partagé entre la joie d'avoir un fils et la tristesse d'avoir perdu sa femme.

3. a) ma mignonne, mon amie, ma tendresse, ma chérie

   b) ta douce nourrice, ta dame tant aimée

   c) mon fils, mon bébé, mon ange

   d) un si beau fils, si joyeux, si riant, si fort, si vigoureux

   e) Apportez du meilleur vin, lavez les verres, mettez la nappe, chassez les chiens, ranimez le feu, allumez la lampe et donnez aux pauvres gens qui sont à la porte du pain et de l'argent.

4. Il pleure comme une vache.

5. Il pense à Pantagruel.

6. Il demande aux servantes d'apporter du meilleur vin, de laver les verres, de mettre la nappe, de chasser les chiens, de ranimer le feu, d'allumer la lampe et de donner aux pauvres gens qui sont à la porte du pain et de l'argent. L'atmosphère sera moins triste.

7. Gargantua pense à trouver une autre femme.

«Le jugement de Jehan le Fou»   page 130

D 1. La scène se passe sur la place du Petit-Châtelet à Paris.

2. La viande qui rôtit cause cette bonne odeur.

3. Le pauvre diable a mangé son pain à la fumée du rôti.

4. Le rôtisseur lui a demandé de payer la fumée.

5. Sa défense était qu'il n'avait pas touché la viande et qu'il n'avait rien pris.

6. Jehan le Fou était parmi la foule des curieux.

7. Il lui propose d'accepter le jugement de Jehan le Fou sur leur dispute.

8. Il a demandé au pauvre diable de lui donner une pièce, il l'a examinée, l'a passée d'une main dans l'autre. Il l'a fait sonner contre la pierre du mur, l'a jetée par terre pour entendre le son qu'elle faisait, l'a ramassée et a recommencé.

9. Sa conclusion est que le pauvre diable a payé le rôtisseur du bruit de son argent.

10. Tout le monde applaudit la sentence si juste et dit que Jehan le Fou est moins fou que beaucoup de juges des tribunaux.

D 1. Il leur avait donné le droit de prendre toutes les Indes.

2. Ils leur demandaient de leur donner des provisions pour eux-mêmes et des quantités d'or pour leur roi.

3. Oui, ils ont écouté patiemment. Non, ils n'avaient pas de mauvaises intentions.

4. Oui, les Indiens acceptaient de leur donner de l'or parce qu'ils croyaient que l'or était une chose sans valeur, qui n'est pas utile à la vie ou au bonheur.

5. Oui, ils ont accepté de leur donner des provisions.

6. Ils ont répondu que c'était un signe de mauvais jugement que d'aller menacer sans raison, et sur leurs propres terres, des gens qui avaient peut-être des moyens de défense que les autres ne connaissaient pas.

7. Non, ils ont dit que le roi d'Espagne devait être bien pauvre et dans le besoin.

8. Elle les intéresse mais ils ne veulent pas changer de religion.

9. Ils montrent quelques têtes coupées placées autour de leur ville et demandent aux Espagnols de partir vite.

SIXIÈME ÉTAPE

ANSWERS

Un peu d'histoire   page 156

D 1. Les trois combats de Richelieu étaient: contre les nobles, contre les protestants et contre la Maison d'Autriche. Son but était de rendre possible le pouvoir absolu du roi.

2. Un duel est un combat à l'épée entre deux gentilshommes. Richelieu les a interdits parce que certains nobles étaient trop indépendants et leur arrogance menaçait l'autorité royale.

3. Il les redoutait parce qu'ils étaient riches, puissants et représentaient une menace au pouvoir du roi.

4. Louis XIV a épousé la fille du roi d'Espagne, Marie-Thérèse, pour essayer de cimenter une alliance.

5. Quand Richelieu entend parler d'un groupe de messieurs qui se réunit chaque semaine pour parler de poésie, de littérature et de philosophie, il les invite à se constituer en un groupe officiel sous son patronage et à siéger au palais du Louvre. C'est ainsi que l'Académie française a commencé.

6. Son but est de conserver la pureté de la langue française et de maintenir son dictionnaire officiel parce que la pureté de la langue est une valeur culturelle importante pour les Français.

7. Louis va prendre le pouvoir réel à la mort du ministre Mazarin. Il indique son pouvoir absolu par la formule: «Car tel est notre bon plaisir».

8. Les rois habitaient au Louvre avant Versailles.

9. Il le construit pour plusieurs raisons. D'abord, il s'isolera de Paris, où le peuple est toujours prêt à se révolter contre l'autorité. Ensuite, il va pouvoir inviter les seigneurs à venir résider près de lui, à la cour, où ils vivront comme des «domestiques élégants». Ils ne seront plus une menace pour l'autorité royale.

10. Il avait un but politique: faire perdre aux nobles leur pouvoir.

11. Les nobles négligent leurs domaines, se ruinent en costumes, bijoux, etc. et deviennent des «domestiques élégants» dont le plus grand souci est d'obtenir des places d'honneur dans les cérémonies de l'étiquette du roi.

12. Non, la vie à Versailles n'était pas très confortable parce qu'il n'y avait pas d'eau courante, pas de chauffage central et qu'on avait très froid en hiver. Et il fallait rester debout des heures pendant les cérémonies de la cour.

13. Oui, le roi favorisait les écrivains comme, par exemple, Corneille, Racine et Molière. Il faisait jouer leurs pièces à la cour.

14. Colbert était un excellent ministre de Louis XIV qui a développé le commerce et les manufactures. Il pense que ce ne sont pas les victoires militaires qui enrichissent un pays, mais la paix et le commerce. Louvois était ministre de la Guerre. Il voit dans la guerre le meilleur moyen de gloire et d'expansion. Les guerres conseillées et dirigées par Louvois vident le Trésor royal. Louvois obtient du roi la disgrâce de son rival, Colbert.

15. Oui, Louis XIV a fait beaucoup de guerres. À sa mort, le pays est revenu à ses limites territoriales du début du règne.

16. Certaines dames annonçaient qu'elles recevaient leurs amis chez elles, un certain jour de la semaine; elles disaient que leur salon était ouvert le mercredi, par exemple, de quatre à sept heures. On y parlait de la poésie, de la littérature et de la philosophie.

Vie et littérature

L'École des femmes   page 164

D 1. Nous apprenons qu'Arnolphe revient de la campagne (qu'il était aux champs) et qu'il était parti pendant neuf ou dix jours.
2. La première nouvelle qu'elle lui donne, c'est que le petit chat est mort.
3. Non, elle ne s'ennuyait pas. Elle a travaillé à coudre. Elle a fait six chemises et six coiffes.
4. Elle passait son temps au balcon pour travailler au frais. Horace est passé.
5. Il lui a fait une révérence. Elle lui a fait une révérence, pour ne pas manquer de civilité. Et ils ont continué comme ça pendant longtemps.
6. Elle a dit que le jeune homme allait mourir si Agnès refusait de le voir. Agnès a accepté de le voir.
7. Arnolphe est furieux parce que la vieille a réussi à faire entrer Horace dans la maison. Il gronde et appelle la vieille «une sorcière«, «un suppôt de Satan».
8. Arnolphe avait l'intention de l'épouser lui-même.
9. Non, Agnès n'a pas compris les intentions d'Arnolphe. Elle a compris qu'il voulait la marier à Horace.
10. Il insiste pour qu'elle rompe tout commerce avec Horace en lui jetant un grès par la fenêtre la prochaine fois qu'il viendra à la maison.

Lettre à sa fille sur la mort de Vatel   page 168

D 1. Elle est célèbre parce qu'elle a écrit des lettres qui sont des petits chefs-d'œuvre d'esprit et de l'art de raconter.
2. Elle écrit cette lettre à sa fille.
3. Il va chez son cousin le Prince de Condé. C'est une pression terrible sur le personnel parce que l'hôte veut que tout soit parfait pour le roi et tout son entourage.
4. Il faisait beau.

5. Oui, il y avait des nuages. Oui, c'était terrible pour les organisateurs parce que le feu d'artifice, qui a coûté seize mille francs, n'a pas réussi.
6. Vatel pense qu'il n'y a pas assez de poisson parce qu'il ne voit que le garçon qui lui dit qu'il n'y avait rien de plus que les deux paniers qu'il apportait.
7. Il s'est suicidé parce qu'il croyait être déshonoré. Il a mis son épée contre la porte et se l'est passé à travers le cœur. Le roi et les princes étaient bien tristes.

Application

page 179

D 1. Louis XIV
Il veut que les seigneurs résident à Versailles.
Il a peur que le peuple de Paris fasse une révolution.
Il aime organiser des fêtes dans le parc de Versailles.
2. *L'École des femmes*
Arnolphe est furieux qu'Horace vienne à la maison en son absence.
Agnès adore qu'Horace lui fasse la cour.
Horace déteste l'idée qu'Arnolphe puisse épouser Agnès.
La vieille femme veut convaincre Agnès qu'Horace est amoureux d'elle.
Nous, les lecteurs, sommes contents qu'Agnès et Horace fassent un mariage d'amour.
3. Vatel (Mme de Sévigné)
Il est consterné qu'il n'y ait pas suffisamment de rôti.
Il est terrifié de perdre sa bonne réputation.
Il préfère mourir.
Nous, les lecteurs, nous regrettons qu'il ait un sens si développé de ses responsabilités.

page 180

E 1. Ce monsieur apporte des fleurs à sa femme pour qu'elle soit contente.
2. Je relis ce que j'écris de peur de faire des fautes.
3. Vous arriverez en retard à moins que nous (ne) partions plus tôt.
4. Quelquefois, mes parents se disputent jusqu'à ce que ma mère commence à rire.

5. Nous voulons arriver avant que vous soyez parti.
6. Téléphone-moi ce soir à moins que je (ne) te téléphone le premier.
7. Nous dormons bien la veille afin d'être en forme pour l'examen.
8. On nous explique les problèmes pour que nous les comprenions.
9. La comédie présente des personnages drôles afin que nous riions beaucoup.

NOTES

Un peu d'histoire

Did You Know? page 152
L'Académie française Les membres de l'Académie française sont toujours au nombre de 40. Ils sont élus pour la vie. Qui devient membre de l'Académie? Des écrivains célèbres, parfois des hommes d'état. Il faut présenter sa candidature et être accepté par les autres membres. On les appelle les «Immortels», une fiction courtoise, qui indique que leur renommée est «éternelle». Ce n'est pourtant pas toujours le cas... La première femme élue à l'Académie française fut Marguerite Yourcenar (bien que belge et vivant aux États-Unis).

Did You Know? page 154
Louis XIV Louis XIV considérait que, comme le soleil, il brillait sur le monde, et aimait se comparer à Apollon, dont le char (le soleil) traversait le ciel chaque jour. (Voir la photo du bassin d'Apollon, page 178.)

Le palais et les jardins de Versailles Louis XIV voulait un palais qui éclipse toutes les autres résidences royales. Les plus grands artistes de l'époque ont contribué à sa construction: Mansart, pour l'architecture, Le Brun pour la décoration intérieure et Le Nôtre pour les jardins.
Les jardins de Versailles sont des jardins «à la française», c'est-à-dire qu'ils montrent de belles perspectives symétriques, bien ordonnées, avec des fontaines et des statues. (Les jardins «anglais», par contre, ont des allées inégales, qui tournent et révèlent des rocailles [rock gardens] et qui semblent reproduire la nature.)

Ces jardins avec leurs magnifiques fontaines et leur peuple de statues, représentent les différentes parties du monde. Le grand Bassin de Neptune, au nord, par exemple, symbolise la mer, la seule partie du monde dont le soleil n'éclaire pas les profondeurs.

Did You Know? page 154
La préciosité La préciosité, c'est-à-dire un raffinement extrême des manières et de l'expression, se développe dans les salons. On appelle une chaise «la commodité de la conversation», un miroir «le conseiller des grâces» et un mouchoir «l'ami des pleurs». L'opinion philosophique et littéraire se forme dans les salons. On se demande, par exemple, si les pièces de Corneille (Le Cid, en particulier), suivent bien les règles des trois unités. On se demande aussi si les animaux ont une intelligence ou simplement un instinct. (La Fontaine est en faveur de l'intelligence.)

Vie et littérature
L'École des femmes page 164

Additional Practice
Terminaisons. Pour chaque phrase, choisissez la fin correcte.

1. Pendant qu'Arnolphe était à la campagne,... **b**
   a. Agnès s'ennuyait.
   b. Agnès a travaillé à coudre.

2. Arnolphe avait donné des instructions: **a**
   a. Pas de visiteurs.
   b. Seulement quelques visiteurs.

3. Un jeune homme... **b**
   a. était assis sous les arbres quand Agnès est passée.
   b. est passé et a salué Agnès.

4. Agnès... **b**
   a. a beaucoup de révérence pour Arnolphe.
   b. a fait la révérence au jeune homme, Horace.

5. Une vieille femme... **a**
   a. est venue trouver Agnès.
   b. a apporté une lettre à Agnès.

6. La vieille femme dit que si Agnès ne le secourt pas,... **a**
   a. Horace mourra dans deux jours.
   b. Horace acceptera volontiers.

7. Horace a pris... **b**
   a. une cassette.
   b. un ruban.

8. Le ruban était un cadeau... **b**
   a. d'Horace.
   b. d'Arnolphe.

Lettre à sa fille sur la mort de Vatel page 167

Additional Practice
Pas à sa place. Quel est le mot qui n'est pas à sa place dans les listes suivantes?

1. le soleil, la lune, la chasse, les étoiles
2. un récit, un dîner, un déjeuner, un pique-nique
3. un panier, une cassette, une boîte, un rôti
4. le poisson, le métal, la viande, les légumes
5. l'honneur, la perfection, le ridicule, le courage
6. endormi, las, fatigué, vigoureux

1. la chasse
2. un récit
3. un rôti
4. le métal
5. le ridicule
6. vigoureux

SEPTIÈME ÉTAPE

ANSWERS

Un peu d'histoire   page 191

D 1. Le règne de Louis XIV est trop long parce que les finances royales sont épuisées par les guerres et le peuple est écrasé sous les impôts.
2. Son arrière petit-fils, Louis XV, lui succède parce que son fils et son petit-fils sont morts. Le nouveau roi a cinq ans.
3. Le duc d'Orléans est régent. Il aime surtout les plaisirs.
4. La période de la Régence est caractérisée par le luxe et l'élégance pour les gens riches, la misère qui augmente et les impôts, trop lourds, pour les pauvres gens. Le problème fondamental est de financer les dépenses du gouvernement.
5. Au dix-huitième siècle, la Louisiane est une colonie française dont les limites couvrent dix états du Midwest d'aujourd'hui. Oui, elle est différente aujourd'hui: la Louisiane est beaucoup moins grande.
6. Le régent appelle Law qui fonde la Compagnie du Mississippi et met en vente des actions.
7. Elle doit exploiter les richesses du Nouveau-Monde au profit des actionnaires. Non, elle ne reflète pas la vérité. Elle montre des montagnes de pierres précieuses, des colons assis sous des palmiers, entourés de trésors et de fruits exotiques!
8. Les gens se précipitent pour acheter des actions.
9. Elle fait faillite. La confiance du peuple français dans son gouvernement est perdue.
10. La rue Quincampoix est célèbre parce que les gens s'y sont précipités pour acheter des actions et plus tard pour demander le remboursement de ces actions. Beaucoup de gens y sont morts, écrasés par la foule.
11. Ils l'appellent le «Bien-Aimé» parce qu'ils espèrent que le roi va tout changer et rendre leur vie meilleure. Oui, ces sentiments changent parce que le roi est un enfant gâté qui est paresseux, n'aime pas le travail et pense surtout à ses distractions.
12. Ils ont en commmun le goût de la construction et de la décoration.
13. L'indifférence de Louis XV cause une période de liberté des idées. On pense que le roi est «un homme comme les autres, mais qui profite de sa situation pour exploiter le peuple».
14. L'*Encyclopédie* est un gros dictionnaire qui donne une définition de chaque mot, chaque idée et qui contient aussi des pages très bien illustrées sur les sciences, les arts et l'industrie. Diderot, d'Alembert et Condorcet sont ses auteurs. Elle est dangereuse pour le roi parce qu'elle attaque l'ordre établi—le roi, l'église, etc.
15. L'Église est contre l'*Encyclopédie* parce que l'*Encyclopédie* appelle l'Église «un système d'oppression». Madame de Pompadour est pour l'*Encyclopédie* parce qu'elle n'aime pas beaucoup l'Église.
16. Non, il n'est pas d'accord. Il attaque cette idée avec humour mais férocité dans *Candide*.

17. Chaque personne vote pour participer au gouvernement, puis accepte la volonté de la majorité: c'est la démocratie. Ce système politique est nouveau parce que jusque là, c'est le roi qui gouverne et le peuple qui obéit.

Vie et littérature

Candide ou de l'optimisme   page 197

Additional Practice

1. bon (bonne): Candide, Cunégonde, Jacques l'Anabaptiste
2. brutal: le marin qui a frappé Jacques
3. laide: la vieille Cunégonde
4. fraîche: Cunégonde
5. pédant: Pangloss
6. puissant: le baron
7. grosse: Madame la baronne
8. graves: les Hollandais
9. généreux: Jacques
10. simple: Candide, Cunégonde
11. victorieux: les deux rois
12. exécuté: l'amiral anglais
13. voleur: le marin
14. charitable: Jacques
15. raisonnable: le bon vieillard
16. noble: le baron, la baronne
17. majestueux (-se): le baron, la baronne
18. persécuté(e): Jacques, Cunégonde, Candide

page 198

D 1. Le but général des philosophes du dix-huitième siècle est de critiquer l'ordre établi.
2. Candide est un jeune homme à l'esprit simple. Il habite au château de M. le baron de Thunder-ten-tronckh en Westphalie. Il est obligé de quitter le château parce qu'il a embrassé Cunégonde, la fille du baron.
3. Il s'enrôle dans l'armée.
4. Il voit mourir des milliers d'hommes. Voltaire décrit la bataille d'une manière ironique.
5. Oui, les villages et leurs habitants souffrent aussi de la guerre. Les villages sont brûlés, les femmes et les enfants meurent aussi.
6. Il va en Hollande. Il est à demi mort de faim et de fatigue. Il espère qu'on lui donnera l'aumône parce qu'il a entendu dire que les gens de ce pays sont riches et charitables.

7. Non, il ne reçoit pas ce dont il a besoin. On menace de l'enfermer dans une maison de correction.
8. Jacques est charitable envers Candide. Son attitude est remarquable parce qu'il est pauvre, mais il a pitié de Candide et l'aide autant qu'il peut.
9. Les voiles sont déchirées, les mâts sont brisés, le bateau est secoué.
10. Il est noyé en essayant de sauver le marin qui l'a frappé. Non, ce n'est pas juste.
11. Un tremblement de terre a lieu. La mer monte et arrache les bateaux qui sont à l'ancre. Des flammes et des cendres couvrent les rues. Les maisons s'écroulent et trente mille habitants sont écrasés sous les ruines.
12. Ils voient l'exécution de l'amiral. On l'exécute parce qu'il n'a pas fait tuer assez de gens. Et les Anglais disent que de temps en temps il est bon de tuer un amiral pour encourager les autres.
13. Ils vont en Turquie parce que Cunégonde a été vendue comme esclave en Turquie. Ils la trouvent enfin mais elle est vieille et laide.
14. Oui, elle est importante. Ils apprennent qu'il faut vivre modestement, «cultiver son jardin» et ne pas participer aux affaires publiques, qui finissent souvent mal.
15. Oui, Candide a changé. Non, Pangloss n'a pas vraiment changé; il continue à répéter la même chose. Ils cultivent un petit jardin et vivent simplement.

«Le ruban volé»   page 200

D 1. Oui, cela est considéré comme une affaire grave parce qu'on ne voulait pas garder un domestique qui vole ses maîtres et qui n'est pas honnête.
2. Toute la famille et les domestiques sont convoqués à la confrontation. Ils réunissent tout ce monde parce qu'il est plus difficile de mentir devant tout le monde.
3. Il la regarde en face et l'accuse du vol et de lui avoir donné le ruban. Elle ne dit rien d'abord et lui jette un regard. Enfin elle nie avec assurance mais sans colère.
4. Non, elle n'est pas en colère contre lui. Elle a une attitude de modération et de pitié.
5. Il les renvoie tous les deux. Sa conclusion est que la conscience du coupable vengera assez l'innocent.

6. Oui, il avait raison, d'après Rousseau. Rousseau dit que pas un seul jour la prédiction du comte ne cesse de s'accomplir.

Application

page 216

I 1. Le régent **se demandait** comment remplir le Trésor Public. Il **se disait** que le meilleur moyen **c'était** de s'adresser à un célèbre financier anglais qui **s'appelait** Law.

Quand Law **s'est installé** à Paris et **s'est mis** à organiser un système d'actions sur la Louisiane, le peuple **s'est enthousiasmé**. Les gens **se sont précipités** rue Quincampoix, et les actions **se sont vendues** par milliers. Le public **se disputait** ces actions. La demande, au commencement, **était** si grande que les actions **se revendaient** à haut prix, et certains speculateurs **se sont enrichis**. Mais quand la panique **s'est développée**, tout le monde **s'est pressé** de nouveau rue Quincampoix. De pauvres gens **se sont trouvés** écrasés par la foule. Mais l'argent **manquait**. Alors, les bureaux de vente **se sont fermés**. Le peuple **s'est mis** en colère. Une faillite **s'est déclarée** et c'est ainsi que la confiance dans le gouvernement **s'est perdue**.

2. Candide et Cunégonde **s'aimaient**. Mais le père de Cunégonde ne **se résignait** pas à ce mariage, car Candide ne **se plaçait** pas parmi l'aristocratie locale. Alors, Candide **s'en est allé**. Il **s'est enrôlé** dans une armée, **s'est battu** dans une bataille, et **s'est échappé**. En mer, son ami Jacques **s'est noyé**, et Candide **s'est trouvé** à Lisbonne au moment du grand tremblement de terre. Mais il ne **s'est pas consolé** de l'absence de Cunégonde. Hélas, quand les amoureux **se sont retrouvés**, elle **était** vieille et laide. Mais Candide **s'est dit** qu'il **fallait** accepter sa destinée et **s'est mis** à cultiver son jardin.

page 217

J Je fais mettre de l'essence dans le réservoir par la station-service.
... réparer mes chaussures par un cordonnier.
... peindre la maison par un peintre en bâtiment.
... décorer le salon par un décorateur.
... réparer le robinet par un plombier.
... livrer un énorme paquet par un livreur.
... raccourcir des jeans par un tailleur.
... transporter des meubles par un déménageur.
... préparer un repas de mariage par un traiteur.
... faire une robe spéciale par une couturière.
... faire mon portrait par un photographe.

K Je fais bouillir des œufs durs.
... frire des frites.
... bouillir une soupe de légumes.
... griller une grillade.
... cuire au four (rôtir, sauter) un poulet.
... cuire au four un gâteau.
... cuire au four une tarte aux abricots.
... griller un bifteck.
... rôtir un rôti.
... bouillir une sauce tomate.

L Je me fais couper les cheveux par le coiffeur.
... faire une analyse de sang par un laboratoire médical.
... faire des piqûres par l'infirmière.
... faire une opération chirurgicale par le chirurgien.
... psychanalyser par le psychiatre.
... expliquer la leçon par le professeur.
... soigner les dents par le dentiste.
... donner une ordonnance pour des médicaments par le médecin.
... donner des leçons de piano par le professeur de piano.

ANSWERS

Un peu d'histoire   page 228

D 1. Le peuple ne l'appelait plus «le Bien-Aimé»; au contraire, il détestait le roi, ses dépenses et ses favorites.

2. Louis XVI a remplacé Louis XV sur le trône. Le nouveau roi était honnête et plein de bonne volonté mais sans grande expérience et sans grande capacité. La nouvelle reine danse, joue aux cartes, perd négligemment des sommes fantastiques. Elle joue à la fermière dans sa Ferme de Trianon et est complètement inconsciente de la réalité de la vie des paysans. Tous les deux étaient trop jeunes pour régner.

3. La situation était très difficile pour le jeune roi parce que la misère montait à Paris et aussi dans les campagnes. La reine avait une grande influence sur le roi. Elle n'avait pas de sens de la responsabilité. Elle aimait s'amuser et elle restait pendant des semaines avec ses meilleurs amis dans le Petit Trianon, sans s'occuper de ses responsabilités au palais.

4. Versailles se trouve à 15 kilomètres de Paris. Versailles était comme une île enchantée, séparée du reste du pays, avec des bals, des fêtes et un luxe sans limites, tandis qu'à Paris la misère montait, les gens avaient faim.

5. Le roi allait à la chasse et travaillait dans son atelier où il faisait des serrures pour s'amuser, la reine dansait et jouait aux cartes. Le peuple blâmait la reine le plus à cause de sa frivolité et ses dépenses exagérées.

6. Il les a aidés parce que la France, qui avait perdu le Canada, voulait voir diminuer la puissance de l'Angleterre dans le Nouveau Monde.

7. Les principaux représentants des États-Unis à Versailles étaient Thomas Jefferson et Benjamin Franklin. Jefferson a passé plusieurs années en France et a dit: «Tout homme a deux pays; le sien et puis la France.» Franklin, sans perruque, dans un simple costume marron, représente la simplicité mise en vogue par Rousseau. Il a plus de 70 ans et a beaucoup de succès auprès des dames.

8. Quand le bijoutier de la reine lui propose un collier de diamants qui vaut une fortune, la reine, qui le trouve trop cher, le refuse. Plus tard, le cardinal du Rohan arrive chez le bijoutier et dit que la reine l'a chargé de l'achat du collier, qu'elle veut maintenant. Il paie trente mille livres et promet de payer le reste dans quelques semaines. Il donne le collier à Mme de La Motte, qui prétend être l'intermédiaire entre le cardinal et la reine. Le collier disparaît. Mme de La Motte a brisé le collier et fait vendre les diamants séparément en Angleterre. Elle est arrêtée mais elle s'échappe et écrit de violentes attaques contre la reine. L'opinion publique, qui est contre la frivolité de la reine, accepte l'idée qu'elle a reçu le collier mais qu'elle nie le fait pour ne pas payer. L'affaire du Collier est désastreuse pour la réputation de la reine.

9. Les États généraux sont les représentants de la population de la France. Il y avait trois états: la noblesse, le clergé et le Tiers-État. On avait besoin de les réunir parce que le Trésor royal était vide.

10. Non, les États généraux n'étaient pas d'accord avec le roi sur le but de leur réunion. Le roi voulait leur support pour instituer de nouveaux impôts mais le Tiers-État ne voulait plus d'impôts: c'était lui qui payait tous les impôts.

11. On appelle *cahiers de doléances* les listes que préparait chaque ville et dans lesquelles on écrivait soigneusement les sujets de mécontentement et les plaintes des habitants.

12. Le Tiers-État voulait voter par député parce qu'ils étaient un peu plus nombreux que les deux autres réunis et étaient donc sûrs de gagner. Les autres ordres ont voté pour le vote par ordre, pas par député, parce que de cette façon ils pouvaient gagner: il y aurait toujours deux votes (la noblesse et le clergé) contre un (le Tiers-État). C'est la noblesse et le clergé qui ont gagné.

13. On appelle le 14 juillet *Bastille Day* en anglais parce que c'est le 14 juillet 1789 que le peuple parisien, croyant que le roi voulait attaquer Paris, a décidé de se défendre et a attaqué la Bastille. Les Parisiens ont trouvé des armes aux Invalides. Ensuite, ils se sont dirigés vers la Bastille pour chercher des munitions. C'est là qu'une bataille a commencé.

14. Le gouverneur de la Bastille et son assistant sont tués. On leur coupe la tête qu'on porte au bout d'une pique. Plusieurs gardes suisses de la garnison de la Bastille sont aussi tués. Les quelques prisonniers sont libérés contre leur gré. Louis XVI n'a pas compris l'importance de cette journée historique. Il ne prend aucune mesure pour rechercher et faire punir les coupables, il accepte le fait accompli. Maintenant le peuple voit que le roi est trop faible pour le contrôler.

Vie et littérature

Voyages en France   page 230

D 1. Arthur Young est l'auteur de ce récit.
2. Non, les deux parties du texte sont écrites à des moments différents: la première partie en 1787, la seconde partie en 1789. Oui, il y a une détérioration de la situation: les gens sont encore plus dans la détresse qu'avant.
3. Young écrit la deuxième partie 15 jours avant la prise de la Bastille.
4. Il voit que les filles et les enfants ne portent ni chaussures ni bas. Les laboureurs n'ont ni sabots ni chaussettes. Les paysans n'ont aucun objet fait de laine ou de cuir.
5. Oui, les paysans anglais sont sans doute plus prospères. Mais les paysans irlandais ne sont pas plus prospères. Young dit que la pauvreté en France lui rappelle celle qu'il a vue en Irlande.
6. Le blé est important parce qu'on en fait du pain, et les gens peuvent vivre s'ils ont au moins du pain. Les Français consomment toujours beaucoup de blé parce qu'ils mangent du pain à tous les repas.
7. Il n'y avait pas assez de blé à acheter parce que personne n'est autorisé à acheter plus de deux sacs de blé. Le gouvernement est à blâmer. (Il n'y avait pas assez de blé à acheter parce que les cultivateurs et les boulangers ne voulaient plus rien apporter dans les villes à cause des taxes et émeutes. Les gens se disputaient avec les boulangers, dont les prix étaient exorbitants, et ils se sauvaient avec du pain ou du blé sans payer.)
8. Il reproche au gouvernement d'avoir des idées fixées d'une façon immobile. Il dit qu'on ne peut pas raisonner avec ce gouvernement.
9. Non, il ne voit pas de solution à cette situation mais il dit qu'elle ne peut pas durer.

Souvenirs   page 233

B 1. Elle est célèbre parce que c'est une artiste de grand talent. Elle avait vingt ans, comme la reine.
2. Marie-Antoinette était grande, bien faite et portait la tête haute avec beaucoup de majesté.
3. Le premier portrait la montre avec une grande robe de satin à crinoline, une rose à la main. Dans un autre portrait elle porte une robe nacarat et est placée devant une table, où elle arrange des fleurs dans un vase. Un autre représente la reine coiffée d'un grand chapeau de paille en robe de mousseline blanche. Le dernier portrait est celui qui la montre avec ses enfants.
4. Quand on a exposé le portrait de la reine coiffée d'un chapeau de paille et en robe de mousseline blanche, beaucoup de gens ont dit que la reine avait fait peindre son portrait en chemise. Et quand le dernier portrait qu'avait fait Vigée-Lebrun était exposé au Salon, les gens disaient «Voilà Madame Déficit» et beaucoup d'autres choses hostiles.
5. Le public critiquait le portrait en robe de mousseline à cause de la mauvaise réputation de la reine.

«La Prise de la Bastille par un de ses défenseurs»   page 236

B **Paragraphe 2**
1. suis arrivé
2. a apporté
3. ai vu

Paragraphe 3

4. a fait	9. ont crié
5. a accusé	10. ont apporté
6. ai protesté	11. avons bu
7. ai déclaré	12. a conduit
8. a paru	13. avons eu

Paragraphe 4

14. a pris	18. a demandé
15. est monté	19. a apporté
16. a groupés	20. a commandé
17. a expliqué	

D 1. L'auteur de ce texte est Louis Deflue. Il était garde suisse à la Bastille; il la défendait.

2. Après la prise de la Bastille il a été fait prisonnier et conduit à l'Hôtel de Ville. Il aurait pu être tué par la foule ou par le comité qui devait le juger.

3. Il a échappé à ce danger en disant au comité qu'il voulait se joindre aux forces de la Nation. Les «patriotes» ont apporté du vin et tout le monde a bu à la santé de Paris et de la Nation.

4. Un prisonnier de la Bastille était conduit à travers le Jardin et on a aussi pris l'auteur et les autres Suisses qui étaient avec lui pour des prisonniers.

5. On a fait la quête pour les «victimes de la tyrannie», on lui a apporté cinq francs, et son groupe a commandé un bon dîner. Avant la fin du dîner il était, avec les autres, l'ami de tout le monde.

NEUVIÈME ÉTAPE

ANSWERS

Un peu d'histoire   page 262

D 1. La révolution commence par la prise de la Bastille en 1789 et finit avec l'exécution de Robespierre le 27 juillet 1794.

2. On appelle *la Grande Peur* un courant de violence qui a balayé la France pendant l'été 1789. Les paysans ont attaqué les châteaux et, dans bien des cas, les ont brûlés et pillés et massacré le seigneur et sa famille.

3. Par l'abolition des privilèges, votée par les trois ordres, tous paieront désormais les mêmes impôts.

4. Une foule de Parisiens, menés par des femmes, marche sur Versailles pour forcer le roi à leur procurer du pain. Ils forcent la porte d'entrée du palais de Versailles et tuent les gardes de la reine. Ils insistent que le roi vienne résider à Paris et exige que la reine paraisse au balcon. Dans un long cortège surmonté des têtes des gardes tués au service de la reine, un carrosse emmène la famille royale à Paris.

5. La constitution, préparée par l'Assemblée, propose une monarchie à pouvoirs limités, semblables à ceux de la monarchie anglaise. Le roi l'a acceptée mais sans conviction et parce qu'il n'avait pas d'autre alternative.

6. Le roi n'accepte pas la constitution civile du clergé. La reine et lui sont indignés de l'audace du peuple qui les tient prisonniers. Ils décident de s'échapper et se déguisent, le roi en valet, la reine en dame de compagnie et le Dauphin en fille. Mais ils sont reconnus et plus tard arrêtés à Varennes. On les ramène à Paris au milieu d'une foule hurlante qui les menace de mort.

7. Les Tuileries sont attaquées par des milices parisiennes qui massacrent tout le personnel et les gardes. Le roi s'échappe de justesse et place sa famille et sa personne sous la protection de l'Assemblée, qui vote pour le transfert de la famille royale à la prison du Temple.

8. Louis XVI est accusé d'avoir comploté, avec la reine, contre le gouvernement révolutionnaire et d'avoir essayé de faire triompher l'ennemi. Ce n'était pas une décision unanime—il est condamné à mort par une voix de majorité.

9. La Terreur est la période qui dure un an (après la mort du roi) et pendant laquelle le gouvernement révolutionnaire déclare que toute personne accusée est automatiquement coupable. Les preuves ne sont pas nécessaires. Il y a une Terreur parce que le gouvernement de la Révolution craint une contre-révolution monarchique et craint aussi les espions au service de l'ennemi.

10. Les changements durables apportés par la Révolution sont: (1) qu'en principe, tous les hommes sont égaux devant la loi (2) la division de la France en départements, qui permet de centraliser la nouvelle nation sur Paris (3) le système métrique, qui propose des unités fixes, comme le mètre, le kilogramme, etc. Ce système est employé aujourd'hui dans presque tous les pays civilisés.

Vie et littérature

«À Paris, sous la Terreur»   page 266

C 1. Il est arrivé à Paris en diligence après une absence d'un an et demi.

2. Il est venu parce qu'il a besoin d'argent et un de ses amis lui doit une somme considérable.

3. Il a entendu raconter des histoires effrayantes sur la Terreur: des gens arrêtés dans la rue, mis en prison sans explication, condamnés à mort sans jugement, guillotinés le lendemain.

4. Son ami est terrifié d'être trouvé en sa compagnie parce que l'auteur, absent de Paris depuis un an, est suspect. Si on le trouvait chez son ami, celui-ci serait perdu.

5. Il a passé la nuit assis sur une chaise dans un coin de la station de la diligence.

6. Le lendemain il a vu des gens qui passaient dans la rue et un curieux mélange de couleurs.

7. Ils déployaient leur drapeau tricolore.

8. Le sens des inscriptions qu'on voyait partout semblait être que «la mort» serait pour celui qui refuserait l'hospitalité «fraternelle». En réalité «la mort» serait pour celui qui ne croyait pas aux principes de la Révolution.

9. L'auteur croit que c'est de l'hypocrisie et que Rousseau avait raison de dire: «On ne parle jamais tant de liberté que dans un pays où elle a cessé d'exister».

«Les dernières heures de Louis XVI»   page 269

D 1. La reine, leurs enfants Marie-Thérèse et le Dauphin, et la sœur du roi, Madame Élisabeth, étaient emprisonnés avec le roi, mais pas dans la même partie de la prison du Temple.

2. La reine est entrée avec les autres membres de la famille royale et tous se sont jetés dans les bras du roi. Tous ont sangloté pendant plusieurs minutes. La reine voulait passer dans une autre salle parce qu'on voyait la silhouette des gardes derrière la porte vitrée, mais le roi lui a dit qu'il n'avait pas le droit de quitter la pièce où il était. Après trois quarts d'heure le roi s'est levé et leur a promis de les voir le lendemain matin avant de partir pour la guillotine, mais c'était un pieux mensonge.

3. Le roi n'avait pas le droit d'avoir un couteau et une fourchette à son dernier repas parce qu'on ne voulait pas qu'il essaie de se suicider avant de monter sur la guillotine.

4. Il a mangé du poulet et des légumes. Cléry avait coupé le poulet en morceaux pour que le roi puisse le manger avec une cuillère.

5. Les gardes insultaient le roi.

6. Il a laissé sa montre, plusieurs de ses objets personnels, ses lunettes et sa tabatière. Il a mis sa bague d'or dans sa poche.

7. Paris était en armes depuis le petit jour. On entendait battre les tambours, le son des chevaux et des canons.

8. Il a entendu une salve d'artillerie et les cris de «Vive la Nation, Vive la République!»

9. Non, son désir de voir Cléry rester avec son fils ne s'est pas réalisé parce qu'on a mis le Dauphin dans une autre partie de la prison où il est peut-être mort plus tard. De toute façon il a disparu et on ne l'a jamais retrouvé après la Révolution.

10. On a guillotiné le roi. La guillotine est une machine importée d'Allemagne par le docteur Guillotin. Ce moyen d'exécution permet d'exécuter les condamnés rapidement et «sans douleur» en leur coupant la tête. La guillotine était employée pour la première fois en mai 1792.

DIXIÈME ÉTAPE

ANSWERS

Un peu d'histoire   page 295

D 1. La Corse est dans la Méditerranée. C'est une île qui appartenait à l'Italie jusqu'en 1768.

2. Napoléon était petit et maigre.

3. À neuf ans il a été envoyé, grâce à une bourse, à l'école militaire de Brienne. Il a été officier dans les armées de la Révolution, où il s'est distingué dans la campagne d'Italie.

4. Il se déclare empereur en 1804. Charlemagne était le seul autre empereur, en 800.

5. Napoléon a fait préparer le Code Napoléon, un code civil basé sur le droit romain. Ce code est, de nos jours, celui de la France. Il a aussi organisé le système des universités et créé les lycées. Napoléon a donné au système des départements sa pleine application. Il a aussi créé la Légion d'honneur qui récompense les services rendus à l'État.

6. Oui, il a fait la guerre contre toutes les puissances d'Europe et a conquis des territoires immenses. Il a fait une guerre cruelle en Espagne. Ses troupes ont traversé l'Europe, sans rencontrer de résistance qu'elles ne puissent pas vaincre. Napoléon a été battu par l'hiver russe.

7. Le terme *guérilla* veut dire *petite guerre* en espagnol et vient de la résistance du peuple espagnol contre le gouvernement que Napoléon lui a imposé.

8. La retraite de Russie signifie la retraite de l'armée de Napoléon après sa défaite en Russie, défaite causée par le terrible hiver russe. Poursuivie par les Russes qui attaquent constamment, l'armée française, sans provisions, à demi-morte de faim et de froid, obligée d'abandonner son équipement, retourne en France. C'est un souvenir terrible dans l'histoire de France parce que la plupart des soldats sont morts dans cette horrible retraite.

9. Les Anglais ont envoyé Napoléon à l'île d'Elbe après la défaite de Russie. Il n'y est pas resté. Il est retourné en France.

10. Après le départ de Napoléon, Louis XVIII est monté sur le trône. Il avait presque soixante ans, marchait avec difficulté et personne en France ne le connaissait. Mais il a eu l'intelligence d'accepter la situation.

11. On appelle *les Cent-Jours* la période qui a suivi le retour de Napoléon de l'île d'Elbe. Les Cent-Jours ont fini par la défaite finale de Napoléon à Waterloo.

12. Napoléon a passé les dernières années de sa vie à Sainte-Hélène, petite île isolée au milieu de l'Atlantique.

13. On appelle la *légende de Napoléon* la version idéalisée de son règne et de sa personne. Après la mort de l'ex-empereur, la France a oublié ses terribles guerres et les innombrables morts qu'elles ont causées. Mais elle a embelli le souvenir de ses victoires qui ont apporté de la gloire à la France.

14. Hitler est venu visiter la tombe de Napoléon. Cette visite a lieu peu de temps avant sa propre campagne de Russie, qui finit de façon semblable à celle de Napoléon.

«Le retour de Russie»   page 299

D 1. Il y a douze syllabes dans chacun de ces vers. Ces vers s'appellent des alexandrins.

2. L'aigle représente Napoléon (parce que c'est un oiseau très puissant, noble et fier).

3. Moscou brûlait parce que les Russes avaient mis le feu aux maisons.

4. La Grande Armée vaincue est transformée en troupeau pendant la retraite.

5. Non, il n'y avait pas d'abris pour les blessés. Ils s'abritaient dans le ventre des chevaux morts.

6. Les clairons étaient morts gelés restés debout en selle (à cheval), collant leur bouche «en pierre» aux trompettes.

7. Oui, l'ennemi continuait à attaquer ces troupes. Le poète dit: «Boulets, mitraille, obus, mêlés aux flocons blancs / Pleuvaient... »

8. D'après Hugo, ces soldats sont à moitié morts. Il les décrit ainsi: «Ce n'était plus des cœurs vivants, des gens de guerre, / C'était un rêve errant dans la brume, un mystère, / Une procession d'ombres sous le ciel noir... »

«Les soirées d'hiver au château de Combourg»   page 302

D 1. Les membres de la famille à Combourg était le jeune Chateaubriand, sa mère, son père et sa sœur Lucile.

2. La mère se jetait sur un lit de jour, les enfants s'asseyaient l'un près de l'autre, et le père se promenait dans le château.

3. Le père était vêtu d'une longue robe de chambre. Il était àdemi-chauve et portait un grand bonnet blanc qui se tenait tout droit. Il avait une longue figure pâle. Il ressemblait à un spectre. Il se promenait dans le château toute la soirée.

4. Non, la pièce n'était pas bien éclairée: il n'y avait qu'une seule bougie et la lumière du feu dans le foyer. Cette lumière donnait une impression de terreur parce qu'on ne voyait pas le père, on l'entendait seulement. Puis, quand il émergeait de l'obscurité il ressemblait à un spectre.

5. Non, il n'y avait presque pas de conversation parce que tout le monde avait peur du père.

6. Il remontait sa montre, puis, prenant un candélabre il allait dans sa chambre pour se coucher.

7. Ils se tenaient sur son passage et l'embrassaient en lui souhaitant une bonne nuit.

8. Ils commençaient à parler, parler, parler.

9. Il regardait sous les lits, dans les cheminées, derrière les portes, etc. parce que sa mère et sa sœur avaient peur d'un fantôme.

10. Les gens étaient persuadés qu'un certain comte de Combourg, à jambe de bois, mort depuis trois siècles, apparaissait à certaines époques, et qu'on l'avait rencontré dans le grand escalier. Sa

jambe de bois se promenait aussi quelquefois seule, accompagnée d'un chat noir. Les dames avaient très peur.

11. Le jeune Chateaubriand couchait dans une chambre isolée, en haut de la plus haute tour du château.

12. Le résultat de cette éducation, c'ést le courage. On avait forcé l'enfant à braver les fantômes et cela lui a donné le courage d'un homme. Sa mère, qui lui disait que tout n'arrive que par la permission de Dieu, lui a donné la foi en le rassurant.

«Le Lac»   page 306

D 1. Il y a quatre vers par strophe. Non, ils n'ont pas tous le même nombre de syllabes. Les trois premiers vers ont douze syllabes chacun et le quatrième vers en a six.

2. Oui, il y a un changement quand le poème cite les paroles de la jeune femme. Le second vers des strophes où elle parle n'a que six syllabes au lieu de douze. Le ton devient plus urgent. La jeune femme supplie le temps et crie «Aimons donc, aimons donc!» parce que le temps passe vite.

3. Les vers riment de la façon suivante: *abab cdcd*, etc.

4. Le poème se passe au bord du lac que le poète a visité l'année précédente avec la jeune femme. Il parle au lac, à la nature.

5. Il évoque le souvenir de la promenade en bateau qu'il a faite avec la jeune femme sur ce même lac l'année d'avant. C'est la réalité (recréée par un poète, naturellement).

6. Elle demande au temps de s'arrêter et de laisser les amants savourer leur amour, les «plus rapides délices / Des plus beaux de nos jours!»

7. Il demande à la nature (au lac, aux rochers, aux grottes, à la forêt) de garder le souvenir de ce jour passé.

8. La nature («Tout ce qu'on entend, l'on voit ou l'on respire») doit répéter: «Ils ont aimé!»

Application

page 312

A 1. Je te conseille d'étudier ce soir et je t'informe que nous avons un examen demain.

2. La dame prie son mari d'écouter et elle lui murmure qu'il y a un bruit dans la maison.

3. Je leur télégraphie que j'arrive ce soir à l'aéroport.

4. L'agent de police conseille à l'automobiliste de conduire plus lentement s'il ne veut pas aller en prison.

5. L'entraîneur suggère à l'athlète de faire une heure d'exercice tous les jours avant le match.

6. Un ami souhaite aux jeunes mariés d'avoir une longue vie et d'être heureux ensemble.

7. Sa mère rappelle à Luc de ne pas oublier d'emporter sa clé.

8. Je crie à Françoise de traverser la rue et de venir me parler.

page 313

B 1. J'avoue que j'ai mangé le reste du gâteau. (J'avoue que c'est moi qui ai mangé le reste du gâteau.)

2. Tu protestes que tu n'as pas laissé la porte ouverte. (Tu protestes que ce n'est pas toi qui as laissé la porte ouverte.)

3. Il affirme qu'il est absolument certain de savoir la vérité.

4. Elle soupire qu'elle est toujours malheureuse et malade.

5. Je me demande si je ne suis peut-être pas le centre du monde...

6. Nos copains s'exclament que c'est une surprise de nous rencontrer ici.

7. La radio annonce qu'il y a des nouvelles sensationnelles ce soir.

8. Le conférencier conclut en disant qu'il termine sa conférence par ces quelques remarques.

page 313

C 1. Le héros du film a dit (a avoué) à l'héroïne qu'il l'aimait et l'adorait.

2. Une dame a demandé à mes parents où ils avaient passé leurs vacances.

3. Ma mère m'a dit (s'est écriée, s'est exclamée) qu'elle ne savait pas où j'étais.

4. J'ai demandé à mes parents si nous ferions ce voyage pendant le week-end.
5. La dame a avoué (a déclaré) au docteur qu'elle avait bien peur que son fils (ne) soit malade.
6. Marc a dit à son copain qu'il achèterait cette voiture s'il avait assez d'argent.
7. Lise a dit à Caroline qu'elle avait pris des billets et qu'elle l'invitait à aller au cinéma.
8. L'élève a dit au professeur qu'il était en retard mais qu'il ne croyait pas que ce soit sa faute.
9. Le professeur de gymnastique a dit à ses élèves qu'il faudrait qu'ils décorent le gym.

page 314

D 1. Tu m'as demandé si j'étais libre le lendemain.
2. Mes parents m'ont demandé pourquoi je n'avais pas téléphoné la veille.
3. Un copain m'a dit qu'il avait dix-huit ans ce jour-là et que le lendemain il partait pour la France.
4. Gargantua s'est écrié que son fils était né la veille et que sa femme était morte ce matin-là.
5. Luc a expliqué qu'il était absent la veille et qu'il serait absent le lendemain.
6. Le directeur nous a informés que le lendemain notre classe serait dans une autre salle.
7. Ma mère m'a dit que si je passais une heure au téléphone ce soir-là, je paierais la note quand elle arriverait!
8. La télé a annoncé qu'il était possible qu'il pleuve le lendemain, mais qu'on doutait qu'il y ait des inondations cette année-là.

page 314

E 1. Une dame a affirmé avec indignation à l'agent de police qu'elle croyait qu'il avait besoin de lunettes. Elle lui a demandé avec sarcasme s'il avait vu un psychiatre récemment. Et elle a ajouté avec certitude qu'elle était sûre qu'elle n'allait pas à plus de trente à l'heure.
2. J'ai dit à mes parents que j'avais vu une voiture formidable et pas chère. Et j'ai ajouté gentiment que s'ils me donnaient de l'argent pour l'acheter, je leur promettais que j'aurais de très bonnes notes.
3. Il s'est écrié que son adversaire avait tort et qu'il n'avait pas compris la situation. Il a ajouté qu'il avait bien peur que son adversaire ne soit stupide et qu'il ne sache pas pour qui voter!

«Les soirées d'hiver au château de Combourg»   page 315

F 1. Le père a demandé brusquement aux enfants de quoi ils parlaient et ce qu'ils faisaient.
2. Lucile a murmuré à son frère de se taire. Elle a ajouté gentiment qu'ils parleraient quand leur père serait parti.
3. Une vieille servante s'est exclamée avec terreur qu'elle avait vu le comte à la jambe de bois dans l'escalier la veille.
4. La mère s'est écriée avec terreur à son fils que sa sœur et elle n'iraient pas dans leurs chambres s'il ne venait pas avec elles.
5. Le jeune garçon a affirmé à sa mère qu'il n'y avait rien. Et il a ajouté gentiment qu'il regarderait sous leurs lits le lendemain si elles avaient peur.

«Le Lac»

6. Le poète a dit mélancoliquement qu'il revenait seul sur cette rive où il était venu avec elle.
7. Le poète a dit avec tristesse que le temps passait trop vite quand on savait que son amie allait mourir.
8. La jeune femme a demandé plaintivement au temps de suspendre son vol.
9. La jeune femme a demandé avec insistance aux heures propices de les laisser savourer leur amour ce jour-là.

ONZIÈME ÉTAPE

ANSWERS

Un peu d'histoire   page 326

D 1. Il avait tort. Il n'avait pas compris que la prospérité d'un pays vient maintenant de l'exploitation de ses ressources.
2. Oui, il y en avait beaucoup. Au début du siècle, il y a l'empire de Napoléon, puis, après sa défaite il y a la Restauration, avec Louis XVIII d'abord et ensuite son frère Charles X, qui est forcé de repartir en exil après la Révolution de 1830. Ensuite il y a le règne de Louis-Philippe, le roi bourgeois, qui sera forcé lui aussi de partir en exil par la Révolution de 1848. La Deuxième République est alors proclamée et

Louis-Napoléon est élu président pour quatre ans. Mais il fait un coup d'état en 1851 et proclame le Second Empire. Après la défaite de la France dans la guerre contre la Prusse, Napoléon III est forcé d'abdiquer et part en exil. C'est alors que la Troisième République est proclamée, qui durera jusqu'en 1940.

3. Les rois en France après Napoléon sont Louis XVIII, Charles X et Louis-Philippe. Les Français acceptent les rois parce qu'ils sont fatigués des nouveautés politiques.

4. Napoléon III est le neveu de Napoléon Iᵉʳ. Il est élu président de la Deuxième République pour quatre ans, mais il fait un coup d'état en 1851 et proclame le Second Empire.

5. On appelle l'aventure du Mexique ce qui s'est passé quand Napoléon III propose Maximilien comme empereur du Mexique. Les troupes françaises de Maximilien sont battues par les forces mexicaines. Les Français réussissent à mettre Maximilien sur le trône mais il est vaincu par le sentiment nationaliste et, abandonné par Napoléon, fusillé en 1867.

6. Le règne de Napoléon III a fini en 1871 après la défaite française dans la guerre contre la Prusse. Napoléon III est forcé d'abdiquer et il part en exil.

7. La Commune est une terrible insurrection, une révolte de la ville de Paris qui dure trois mois, de mars à mai 1871. Les leaders veulent un gouvernement socialiste, alors que le gouvernement provisoire voudrait restaurer la monarchie. La Commune est enfin vaincue.

8. La France perd l'Alsace-Lorraine et Napoléon III est forcé d'abdiquer et part en exil. Les Français n'oublient pas la guerre parce que la défaite avait blessé leur amour-propre. Ils veulent la revanche, et leur patriotisme mal placé mène enfin à l'affreuse guerre de 1914–1918.

9. Les gens étaient inquiets. Victor Hugo était d'abord sceptique mais il a changé d'avis et il finit par aimer la rapidité du train.

10. Des usines sont créées dans les grandes villes ou à proximité des sources de matière première.

11. Des lois sociales se développent au dix-neuvième siècle parce que les ouvriers des usines et les travailleurs des mines—les enfants surtout—sont exploités et ils ont besoin de lois sociales et de syndicats pour les protéger.

12. Haussmann est l'architecte qui a transformé Paris en traçant de grandes rues, des «artères» à travers les petites ruelles du vieux Paris. L'Arc de Triomphe, la Bourse, l'Assemblée Nationale, l'Opéra et la Madeleine datent de cette époque.

13. Louis Pasteur est un savant qui a découvert, entre autres choses, l'existence des microbes. Il a inventé la pasteurisation.

14. Pierre et Marie Curie ont découvert le radium.

15. À la fin du dix-neuvième siècle la vie en France est paisible et la prospérité règne. Ce sont les années qu'on appelle *la Belle Époque*. Mais il règne un esprit de revanche qui contribuera à la prochaine guerre.

Vie et littérature

«La mort de Gavroche»   page 331

C 1. Cette scène se passe à Paris en 1832 pendant une émeute libérale contre Louis-Philippe.

2. Il va chercher des cartouches parce que les insurgés n'ont plus de munitions.

3. Il les trouve sur les cadavres des gardes nationaux morts.

4. La fumée, qui était comme un brouillard, le protège pendant un moment.

5. Il montre son impertinence envers les gardes nationaux en chantant.

6. Pendant que les gardes nationaux le fusillaient Gavroche chantait et les taquinait en leur faisant des pieds de nez.

7. Gavroche n'est pas tué. Il chancelle, puis tombe, mais il se redresse et recommence à chanter.

8. Gavroche meurt en chantant.

«Le Dormeur du val»   page 334

C 1. La scène se passe dans un val (ou petite vallée). Il fait beau.

2. Un jeune soldat est là. Il est jeune, la bouche ouverte, tête nue. Il est étendu dans l'herbe, la nuque baignant dans le cresson.

3. Dans *«Le Lac»* Lamartine s'adresse à la Nature et la personnifie en disant, par exemple, «O lacs! rochers muets! grottes!...   Vous que le temps épargne et qu'il peut rajeunir, etc.»

4. On a l'impression que le soldat dort et qu'il est malade. Le poète dit que le jeune soldat «dort»,

qu'il «fait un somme», mais il dit aussi que «c'est un enfant malade» qu'il est «pâle» et qu'il «a froid».

5. On apprend que le soldat a deux trous rouges au côté droit. On est ému parce qu'on ne s'y attendait pas—la Nature, jusqu'à la dernière ligne, semblait tranquille et bonne.

6. Non, il ne dort pas vraiment. Il a été tué par des balles—«il a deux trous rouges au côté droit».

NOTES

page 320

Did You Know?

Louis XVIII L'hôtesse officielle de Louis XVIII était sa nièce, Marie-Thérèse, fille de Louis XVI et Marie-Antoinette qui avait vécu les tragédies de la Révolution. Elle était mariée avec son cousin, le duc d'Angoulême, fils du futur Charles X. On dit qu'elle avait toujours les yeux rouges parce qu'elle avait tant pleuré.

Mais ni elle, ni Louis XVIII n'ont fait d'efforts pour savoir si le Dauphin, son frère, était vraiment mort à la prison du Temple, ou s'il avait été enlevé de sa prison, ce que beaucoup de gens pensent. Il faut dire que le retour du Dauphin aurait présenté des problèmes dynastiques terribles.

Louis-Philippe C'est le fils du duc d'Orléans qui avait pris le nom de Philippe-Égalité pendant la Révolution, et voté pour la mort de Louis XVI. Les descendants de Louis-Philippe, dernier roi de France, constituent la famille royale de France aujourd'hui: Le comte de Paris et ses fils et petits-fils. Le duc d'Orléans d'aujourd'hui, second fils du comte de Paris, est directeur de relations publiques pour la compagnie Ricard.

page 322

Did You Know?

La Commune est vaincue. Après la défaite, on a offert le trône de France au comte de Chambord (petit-fils de Charles X). Il a commencé par accepter, et les préparatifs pour son couronnement sous le nom d'Henri V ont commencé.

Mais tous les projets ont échoué quand il a refusé d'accepter le drapeau tricolore. Il voulait le drapeau blanc à fleur de lis des rois qui l'avaient précédé.

En réalité, beaucoup d'historiens pensent que le comte de Chambord ne voulait peut-être pas régner parce qu'il savait que des descendants du dauphin étaient vivants et que l'aîné entre eux était, en fait, le roi légitime. Mais ce n'est qu'une spéculation. Seul son refus est certain.

page 323

Literature Connection

Une grande partie du roman *Les Misérables* est consacrée aux pauvres gens de cette période et à leur terrible misère. Victor Hugo est toujours le champion des humbles, des pauvres, des faibles. (Pour un autre extrait des *Misérables*, voir aussi Glencoe French 3, *En voyage,* pages 255 et 134 respectivement.)

L'œuvre de Zola s'adresse aussi aux conséquences humaines de la Révolution industrielle. (On peut comparer en cela Zola à Charles Dickens, le romancier anglais.)

page 323

Did You Know?

La machine à vapeur L'usage de la vapeur comme source d'énergie demandait le groupement d'importantes usines autour de moteurs à vapeur. Aujourd'hui, l'électricité qui remplace la vapeur, permet de diviser les usines en différentes parties, ce qui rend la vie des ouvriers plus facile (moins de concentration de la population ouvrière).

page 324

Art Connection

L'Arc de Triomphe Ce monument était le rêve de Napoléon, mais son règne trop court n'a pas permis sa construction. Sa forme proposée a subi des vicissitudes: Dans *Les Misérables,* Gavroche couche dans le ventre creux d'un éléphant de plâtre qui devait se dresser sur la place de l'Étoile. L'Arc que nous connaissons a été inauguré en 1836, sous Louis-Philippe. Il porte inscrits les noms des généraux de Napoléon et leurs victoires.

page 324

Science Connection

Pasteur Pasteur a découvert le vaccin contre la rage. La rage (*rabies*), une maladie mortelle alors, était très commune avant cette découverte. On raconte comment il a administré son vaccin pour la première fois à un jeune garçon mordu par un chien enragé et qui allait mourir. Pasteur, angoissé, incertain des effets de ce vaccin jamais employé sur un être humain, a passé des nuits près de cet enfant, jusqu'à ce que la guérison soit certaine.

La grammaire en direct   page 343

Additional Topic

Quelque chose d'intéressant à faire? Ou bien rien d'intéressant à faire? Décrivez une journée ou un week-end très ennuyeux. (Qu'est-ce qu'il y a à faire? À voir? À lire? Qui y a-t-il à rencontrer? Y a-t-il des sports à faire? D'autres choses?

Par exemple: Dimanche dernier était très ennuyeux. Il pleuvait. Je n'avais rien à faire et personne à qui téléphoner. Il n'y avait rien à voir à la télévision, etc.

Ou bien, c'est peut être au contraire une journée ou un week-end merveilleux rempli d'activités et de copains sympa.

Par exemple: Quel bon week-end j'ai passé! Mes cousins étaient chez moi et il y avait des tas de choses à faire: un match à voir au stade, un bon film à regarder à la télé, etc.

DOUZIÈME ÉTAPE

Un peu d'histoire   page 353

C 1. C'est la première guerre «moderne», où on emploie les premiers transports motorisés de troupes, des tanks et les premiers avions pour bombarder l'ennemi.

2. Les soldats creusaient des tranchées pour se protéger des obus.

3. Les Alliés ont gagné la guerre grâce aux Américains, qui envoient un corps expéditionnaire.

4. La Seconde Guerre mondiale a été causée par l'Allemagne et par la faiblesse des chefs d'état des gouvernements français et anglais. Humiliée et affamée par les termes du Traité de Versailles, l'Allemagne passe par une période d'inflation galopante et de mouvements communistes. Hitler commence une politique d'expansion pour enrichir le pays. L'Allemagne annexe l'Autriche, puis demande une partie de la Tchécoslovaquie. La France et l'Angleterre acceptent (les Accords de Munich). Enfin, en 1939 l'Allemagne envahit la Pologne et c'est la guerre.

5. Les troupes anglo-américaines débarquent en Normandie en juin 1944 et libèrent la France. La guerre a commencé en 1939 et fini en 1945.

6. L'Union européenne est une union économique entre les pays d'Europe. Les considérations d'intérêt commun remplacent les vieilles haines ancestrales. Les frontières ont été en grande partie abolies et les habitants des divers pays peuvent travailler dans l'un ou l'autre pays. La puissance économique de ce groupe de 370 millions d'habitants est la deuxième mondialement. Mais chaque pays garde son identité culturelle, et son autonomie politique.

7. La décolonisation, c'est quand un pays donne son indépendance à ses anciennes colonies, comme de Gaulle a fait pour les colonies françaises d'Afrique, par exemple.

8. Il y a une nouvelle diversité de la population en France parce que depuis vingt ans, un grand nombre de personnes venues surtout d'Afrique du Nord et aussi de l'Afrique subsaharienne ont émigré vers la France.

9. On appelle l'*expérience socialiste* les années du gouvernement socialiste, avec Mitterrand comme président de la République (1981-1995). Grandes industries et banques sont nationalisées, mais ce n'était pas un grand succès et beaucoup sont retournées au secteur privé.

10. Le TGV, c'est le train à grande vitesse, qui atteint une moyenne de 186 km/h et relie les grandes villes les unes aux autres et à Paris. Il est pratique en France (souvent plus pratique que l'avion) parce que les distances ne sont pas grandes.

11. Les présidents Pompidou et Mitterrand, et Jacques Chirac, ancien maire de Paris (et élu président de la République en 1995), ont contribué au nouveau Paris.

12. Le Palais omnisports de Bercy, une pyramide tronquée, aux côtés recouverts de gazon presque vertical, reçoit tous les sports, et groupe d'immenses auditoires pour concerts et manifestations musicales.

13. Le Louvre n'est pas un bâtiment récent—au contraire! On parle du «nouveau (ou grand) Louvre» parce qu'on a développé le Louvre souterrain, qui offre non seulement parkings, boutiques et galeries, mais aussi un coup d'œil sur le passé lointain du Louvre, c'est-à-dire les fondations du Louvre de Charles V. On a construit aussi une pyramide de verre qui abrite l'entrée du Louvre.

14. Le Musée d'Orsay et le Centre Pompidou sont très différents en apparence: Le Musée d'Orsay est une ancienne gare à l'architecture très ornée de la fin du dix-neuvième siècle, et le Centre Pompidou est un bâtiment moderne et insolite, avec ses tuyaux de chauffage, de gaz, etc. visibles et peints en couleurs vives. Mais ils sont tous les deux des projets du «nouveau Paris» et ils abritent tous les deux des musées d'art.

15. Il y a deux opéras à Paris maintenant: Le nouvel opéra de la Bastille, où on joue surtout des œuvres modernes, et l'ancien Opéra de Paris, construit par Garnier au dix-neuvième siècle et qu'on appelle désormais le palais Garnier.

16. La France est la première destination touristique du monde. Attirés par la délicieuse cuisine, les paysages variés à l'infini, l'art présent partout et les monuments légués par des siècles d'histoire, plus de touristes viennent en France que dans n'importe quel autre pays.

Vie et littérature

«Le prêtre et le médecin»   page 360

C 1. Une épidémie de peste ravage une ville. Le docteur Rieux et un prêtre, le père Paneloux, viennent de voir un enfant mourir.

2. Les deux personnages sont le docteur Rieux et le père Paneloux. Le prêtre essaie de convaincre le docteur que cette mort incompréhensible est peut-être la volonté de Dieu.

3. Le docteur est en colère parce qu'il ne peut pas accepter l'idée que la mort des enfants est la volonté de Dieu.

4. Le prêtre accepte cette épidémie comme la volonté de Dieu. Il pense donc que Dieu lui a donné la *grâce* d'accepter sa volonté sans la discuter ou se révolter.

5. Non, le docteur n'a pas la même attitude que le prêtre parce qu'il n'est pas religieux.

6. La souffrance des enfants révolte les deux hommes.

7. Ils travaillent tous les deux contre la mort et le mal.

«Naissance de mon petit frère»   page 367

C 1. L'auteur est né au Mali et a vécu en Afrique et en France. Dans ses livres, qui sont autobiographiques, il parle de la vie africaine. Il veut encourager le dialogue entre cultures et civilisations.

2. Il est du Mali. Mali se trouve en Afrique subsaharienne.

3. Ce texte est tiré du livre *Amkoullel l'enfant peul*. Ce livre raconte la vie de l'auteur au Mali, au début de ce siècle.

4. Il a peur parce qu'il croit que sa mère va mourir. La femme du chef du village le console en lui disant qu'il va avoir un petit frère ou une petite sœur. Elle lui donne une poignée d'arachides bouillies.

5. Le petit frère est un gros garçon au teint clair qui a le front haut et la chevelure abondante. Il crispe son petit visage et n'arrête pas de pleurer. Non, je ne pense pas qu'il soit vraiment furieux. Il est tout à fait normal qu'un nouveau-né pleure.

6. Les produits nécessaires pour laver et masser le nouveau-né sont le savon, le sel, le miel, et le beurre de karité.

7. Le doyen du village vient voir le bébé. Il demande une calebasse d'eau claire, accueille le bébé, puis il tend la calebasse à la mère et lui dit d'en verser quelques gouttes dans la bouche du bébé. Il donne aussi le nom Njî Donngorna au bébé.

8. On appelle tous les bébés à leur naissance Woussou-Woussou. Le doyen du village lui donne le nom Njî Donngorna, «l'envoyé du ciel aux habitants de Donngorna». Oui, il aura un autre nom, donné par son père.

TEST BANK

How to Use the *Trésors du temps* Test Bank

In the following pages, you will find testing materials for each of the twelve *Étapes,* or chapters, of *Trésors du temps*. These materials include questions that test each section of the chapter: *Un peu d'histoire, Vie et littérature,* and *Perfectionnez votre grammaire*. Each ends with a subject for a *Composition*. THESE MATERIALS ARE INTENDED TO SAVE YOU TIME IN PREPARING YOUR OWN EXAMINATIONS.

Each teacher is, of course, the best judge of the timing and content of tests. You may use this test bank in any number of ways. Here are a few suggestions.

- **Use each test just as it is:** If you prefer to give a comprehensive written test at the end of each *Étape,* the entire set of Test Bank materials for that *Étape* is appropriate.

- **Select only parts of each test:** Perhaps you prefer to give short, 10-minute tests after completing a given section of an *Étape*. If that is the case, you may select only those materials relevant to the particular section you've just finished.

- **Combine two or more *Étapes:*** If you like to defer the written test until two, or more, *Étapes* have been completed, you have the option of combining Test Bank materials, retaining only those parts that deal with areas you have emphasized in class.

- **Combine Test Bank materials with your own testing materials:** Time permitting, this option would enable you to address perceived specific needs of your class. Or you may even wish to create entirely original tests, focusing on your class's strengths and weaknesses as well as reflecting your own unique style of teaching.

Test Bank Guidelines

1. **When preparing a test:** Be certain you are allowing the *proper* amount of time and space for the materials included in the test. Indicate, next to each question, how much time (five minutes? ten minutes?) should be devoted to that section.

2. **On the day before the test:** Make sure everyone understands what will be included in the test. You might want to briefly review the main points you intend to include in the test.

3. **Before the beginning of the test:** Discourage students from coming up individually to your desk to ask you whispered questions about the test. This strikes others as unfair. Instead, allow for a short period before the test begins for students to ask questions from their seats. Answer those that you feel need answering and firmly decline to answer others.

4. **Prevent stray glances:** If the room is small and students are sitting close to one another, remove any temptation they may have to glance at another's paper. If the test you are giving has multiple pages, staple half of the copies in a different order. If your test has only one page, prepare copies with questions in a different order. Alternate the tests when distributing them.

5. **Take advantage of examination time to check the Writing Activities Workbooks:** You might ask that the Workbooks be placed on your desk before the exam begins. Use the exam time to check the Workbooks, grade them (if that is your practice), date and sign them.

6. **Returning tests:** Tests represent a time of anguish or high expectations. Keep the excitement alive by returning them as soon as possible, by the following Monday, if at all possible. Make the returning of the test a "ceremony" in which you will endeavor to find (and show the class) something good on everyone's paper.

NOTE: Since there is no grammar section in the twelfth and last *Étape* of *Trésors du temps*, we have included a brief comprehensive review of grammar (page 59) from every chapter. You may use parts of this review when composing other tests.

Un peu d'histoire

Du passé mystérieux aux divisions d'aujourd'hui

A **Vrai ou faux?**

1. Le Massif Central est une chaîne de montagnes jeunes.   F
2. Une *ère* est l'équivalent de cent ans.   F
3. Il y a des volcans éteints au centre de la France.   V
4. Les Alpes sont les plus hautes montagnes d'Europe.   V
5. La préhistoire a laissé des documents écrits.   F
6. On trouve des objets de la vie journalière dans les cavernes.   V
7. La période mégalithique n'a pas laissé de monuments.   F
8. Les alignements de Carnac sont de longues files de menhirs.   V
9. Nos ancêtres préhistoriques ont laissé des œuvres d'art.   V
10. Jean-Marie Chauvet a découvert une caverne ornée de portraits d'hommes préhistoriques.   F

B **Mettez dans l'ordre chronologique en numérotant de 1 à 6.**

l'arrivée de l'homme sur la terre   2
les dinosaures   1
les peintures des cavernes   4
les monuments comme les dolmens et les menhirs   5
l'homme de Cro-Magnon et ses outils   3

Vie et littérature

C **Indiquez les phrases qui vont ensemble.**
column 1
1. Ce sont des montagnes, un océan, deux mers et un fleuve.   d
2. Ils descendent des Vikings, font d'excellents fromages et leur province est «verte comme un saladier».   c
3. L'écrivain Marcel Pagnol est un Méridional.   a
4. La Bourgogne et la région de Bordeaux exportent le même produit.   b
5. Les départements sont nommés d'après une caractéristique géographique.   f

6. Les régions économiques groupent plusieurs départements.   e

column 2
a. On appelle de ce nom les habitants du Midi de la France.
b. Ce sont les célèbres vins de France.
c. Décrivez les habitants de la Normandie.
d. Quelles sont les frontières naturelles de la France?
e. Elles ressemblent beaucoup aux anciennes provinces.
f. Ils portent le nom d'une (ou de deux) rivières, d'une montagne, etc.

D **La France: Pour chacun des endroits suivants, écrivez le numéro du côté de l'hexagone qui correspond.**

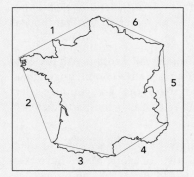

Les Alpes	5	La Manche	1
L'Océan Atlantique	2	La Belgique et	
La Méditerranée	4	le Luxembourg	6
Les Pyrénées	3		

Perfectionnez votre grammaire

Les expressions avec être, avoir *et* faire

E **Complétez au présent.**

Une matinée désastreuse. Ce matin je **suis** en retard, alors mon frère et moi, nous **sommes** pressés et nous n(e) **avons** pas le temps de manger. Aussi, j(e) **ai** faim pendant la classe et j(e) **ai** sommeil. J(e) **ai** envie de déjeuner et je ne **fais** pas attention aux explications. J(e) **ai** hâte de voir la classe finir pour aller à la cantine. Le professeur **est** très content de me voir partir!

Les expressions avec faire et les verbes formés
sur mener et sur porter

F Complétez au présent.

En voyage. Quand ma famille et moi, nous <u>faisons</u> un voyage, nous allons souvent camper à la montagne. J(e) <u>emporte</u> mes affaires dans mon sac à dos et nous <u>emmenons</u> mon petit frère qui est assez grand maintenant. Quand nous rentrons à la maison, nous <u>rapportons</u> de belles photos.

Les expressions avec faire

G Que répondez-vous? (Employez une expression avec *faire*.)

—Luc n'est pas prudent. Il a eu un accident.
—*C'est bien fait pour lui.*

1. Pourquoi prends-tu des vitamines? <u>Ça fait du bien.</u>
2. Oh, excusez-moi. Est-ce que je vous ai marché sur le pied? <u>Ça ne fait rien.</u>
3. Pourquoi ne mangez-vous pas des quantités de bonbons? <u>Ça fait du mal.</u>
4. Aïe! Je suis tombé dans l'escalier. <u>Ça fait mal?</u>
5. Pourquoi vous habillez-vous à la mode? <u>Ça fait bien.</u>
6. Je ne suis pas venu en classe, je n'ai pas étudié et j'ai une mauvaise note. <u>C'est bien fait.</u>

Beaucoup de verbes

H Répondez.

1. Qu'est-ce que vous êtes en train de faire? <u>Answers will vary.</u>
2. Qu'est-ce que vous allez faire après cet examen?
3. Qui allez-vous souvent voir?
4. Qu'est-ce qu'on visite dans votre ville?
5. Qu'est-ce que vous apportez en classe?
6. Qu'est-ce que vous emportez pour un petit voyage?
7. Qu'est-ce que vous faites à la maison pour aider vos parents?
8. Où allez-vous pendant le week-end? Qu'est-ce que vous faites?
9. Depuis combien de temps habitez-vous cette ville? (Depuis que vous êtes né[e]?)
10. Depuis combien de temps venez-vous à cette école?

Composition

I Écrivez une composition sur le sujet suivant.

Une journée. Est-elle ordinaire? Remarquable pour une raison ou une autre? Quel temps fait-il? Qu'est-ce que vous emportez? Pourquoi? Comment allez-vous à l'école? Qui vous emmène (ou emmenez-vous quelqu'un)? Que faites-vous? Que ne faites-vous pas? Avez-vous faim? Froid? Chaud? Pourquoi? Allez-vous bien ou mal? Avez-vous envie d'être à l'école ou...? Conclusion de cette journée.

DEUXIÈME ÉTAPE

Un peu d'histoire

De la Gaule au Moyen-Âge

A Vrai ou faux?

1. L'histoire de France commence en 50 avant notre ère.   V
2. Lyon est la plus ancienne ville de France.   F
3. Les Romains font d'abord la conquête du Midi de la France.   V
4. Vercingétorix est le chef de la résistance gauloise.   V
5. Les Romains ne nous ont pas laissé de monuments en pierre.   F
6. Le français dérive du latin vulgaire.   V
7. La chute de l'Empire romain marque la fin de l'empire, à l'ouest *et* à l'est.   F
8. L'Église joue un rôle important après la chute de l'Empire romain.   V
9. Clovis est baptisé à Paris.   F
10. La fleur de lis est l'emblème des rois de France.   V

B Mettez dans l'ordre chronologique en numérotant de 1 à 6 et donnez la date des événements suivants.

la chute de l'Empire romain   date: <u>476</u> 4
l'Édit de Milan   date: <u>313</u> 3
la conquête de la Gaule par les
　Romains   date: <u>50 avant notre ère</u> 2
le baptême de Clovis   date: <u>496</u> 5

la fondation de
Massilia   date: <u>500 avant notre ère</u> 1
la chute de Constantinople aux
mains des Turcs   date: <u>1453</u> 6

Vie et littérature

C **Indiquez les phrases qui vont ensemble.**

column 1

1. Les druides sont les prêtres des gaulois.   **b**
2. On se fie à l'écriture.   **a**
3. Les Gaulois croient que l'âme est immortelle. **f**
4. Le gui du Nouvel An pousse sur un arbre
   spécial.   **d**
5. Vercingétorix portait de longs cheveux qu'il
   blondissait à l'eau de chaux.   **e**
6. Astérix n'est pas un personnage historique.   **g**
7. Ce n'est pas Clovis qui a brisé le vase de
   Soissons.   **c**
8. Clovis, en dépit du baptême, agit encore
   comme un barbare.   **h**

column 2

a. C'est plus facile, mais on néglige souvent la
   mémoire.
b. Ils ne vont généralement pas à la guerre.
c. C'est un soldat stupide et jaloux.
d. On le cueille sur un chêne de la forêt.
e. Il est devenu chef de la résistance gauloise à
   vingt ans.
f. Ils pensent qu'à la mort elle passe dans un autre
   corps.
g. C'est le héros d'un livre de bandes dessinées.
h. Pourtant, Grégoire de Tours l'admire beaucoup.

D **Identifiez.**

Idéfix *est le chien d'Astérix.*

1. Jules César <u>est le général romain qui a fait
   la conquête de la Gaule et a écrit *De bello
   gallico*</u>.
2. Vercingétorix <u>est le chef de la résistance
   gauloise contre les Romains.</u>
3. Clovis <u>est le premier roi chrétien de la Gaule.</u>
4. Astérix <u>est un personnage de bande dessinée.
   C'est un petit Gaulois qui combat les
   Romains.</u>

5. Bélénus et Velléda <u>sont des dieux adorés par
   les Gaulois. Bélénus était le dieu du soleil et
   Velléda la déesse de la Terre.</u>

E **Complétez les histoires suivantes par les
mots appropriés.**

briser	emporter	partager	tuer
couper	guerre	protéger	vingt
dire	gui	rester	
donner	impôts		

La religion des gaulois. Les druides ne paient pas
d'<u>impôts</u> et ne vont pas à la <u>guerre</u>. Les futurs druides
<u>restent</u> à l'école pendant <u>vingt</u> ans. Le <u>gui</u> est impor-
tant pour le Nouvel An. On le <u>coupe</u> avec une faucille
d'or et chaque chef de famille <u>emporte</u> un brin de la
plante sacrée qui va <u>protéger</u> sa famille du mal.

Le Vase de Soissons. Clovis promet de <u>donner</u> le
beau vase de Soissons à l'évêque. Parmi les guerriers
francs on <u>partage</u> également le butin. Mais un soldat
stupide <u>brise</u> le vase. Clovis reste silencieux: Il ne <u>dit</u>
rien. Mais un an plus tard, il <u>tue</u> le soldat.

Perfectionnez votre grammaire

*Les changements orthographiques des verbes
du premier groupe*

F **Complétez d'après les indications.**

1. Nous <u>mangeons</u> à la cantine. (manger)
2. Luc <u>préfère</u> la plage à la classe. (préférer)
3. Tu <u>essaies</u> d'être parfait. (essayer)
4. Sarah <u>épelle</u> son nom. (épeler)
5. Tu ne <u>jettes</u> pas de papiers par terre. (jeter)
6. On <u>paie</u> à l'entrée du cinéma. (payer)
7. J'<u>espère</u> que tout va bien. (espérer)
8. Comment <u>s'appelle</u> votre chien? (s'appeler)
9. Nous ne <u>nageons</u> pas en hiver. (nager)
10. Nous <u>commençons</u> une année scolaire.
    (commencer)

*Les verbes réguliers et irréguliers
du deuxième groupe*

G **Complétez d'après les indications.**

1. À quelle heure **finissez**-vous votre travail? (finir)
2. **Choisissez**-vous toujours la solution la plus simple? (choisir)
3. Caroline **embellit** tous les jours! (embellir)
4. Nous **courons** pour être à l'heure. (courir)
5. Qu'est-ce que tu **tiens** à la main? (tenir)
6. Je **viens** à cette classe à neuf heures. (venir)
7. Qu'est-ce qu'on **sert** à la cantine aujourd'hui? (servir)
8. **Dors** bien, mon bébé. (dormir)
9. En Gaule, le latin **devient** le latin vulgaire. (devenir)
10. Je vous **offre** un cadeau. (offrir)
11. **Ouvre** la porte, s'il te plaît. (ouvrir)
12. Vercingétorix **meurt** à Rome. (mourir)

*Les verbes réguliers et irréguliers du troisième
groupe et les verbes en -oir*

H **Complétez d'après les indications.**

1. Qu'est-ce que vous **entendez** ? (entendre)
2. On **vend** des fruits au marché. (vendre)
3. Qu'est-ce que vous **prenez** pour le petit déjeuner? (prendre)
4. **Connais**-tu ce monsieur (connaître)
5. Est-ce que vous **croyez** tout ce que vous lisez (croire)
6. Les ouvriers **construisent** des maisons. (construire)
7. Les romanciers **écrivent** des romans. (écrire)
8. Nous **apprenons** le français. (apprendre)
9. Vous **rendez** l'argent que vous empruntez. (rendre)
10. Pourquoi **riez**-vous ? (rire) 20

L'impératif

I **Complétez d'après les indications.**

1. **Sois** gentil, Pierre, s'il te plaît. (être)
2. Madame, pas d'examen! **Ayez** (avoir) pitié de nous! (avoir)
3. Ne **va** pas en classe si tu es malade. (aller)
4. Charles et Carole, **faites** attention quand le professeur parle. (faire)
5. **Viens** chez moi ce soir, Luc. (venir)
6. **Veuillez** vous asseoir, monsieur le directeur. (vouloir)
7. À tous les élèves: **Sachez** que cette classe a gagné un prix! (savoir)

*Les verbes qui prennent à ou de, ou pas de
préposition devant un infinitif*

J **Complétez avec à ou de, si c'est
nécessaire.**

1. J'aime **—** lire un bon livre et je commence **à** lire des livres en français.
2. Sarah préfère **—** écouter de la musique et aider **à** préparer le dîner.
3. Tout le monde essaie **de** faire des progrès et nous promettons **d'** avoir des bonnes notes.
4. Moi, j'espère **—** aller à l'université l'année prochaine et je pense que je mérite **d'** être admis.
5. Généralement, je réussis **à** faire ce que j'ai décidé **de** faire.

Composition

K **Écrivez une composition sur le sujet
suivant.**

*On: C'est nous, c'est vous, c'est les gens, c'est tout le
monde!* Qu'est-ce qu'on fait souvent, toujours ou qu'on ne fait jamais dans votre école? (Jouer au football, étudier sur la pelouse, écrire des graffiti, manquer la classe, etc.)

Et qu'est-ce qu'on fait toujours, souvent ou qu'on ne fait jamais dans votre famille? (Crier, riposter à ses parents, taquiner la petite sœur, laisser sa chambre en désordre, manquer le dîner sans téléphoner, prendre la voiture sans permission, etc.)

TROISIÈME ÉTAPE

Un peu d'histoire

Une sombre période, mais de grands hommes

A **Vrai ou faux?**

1. Les descendants de Clovis sont énergiques et de bons rois. **F**
2. Les maires du Palais assument le pouvoir réel. **V**
3. La victoire de Poitiers arrête l'invasion arabe. **V**
4. Charlemagne est couronné empereur par le pape. **V**
5. Ce couronnement est une décision politique de l'Église. **V**
6. Les Vikings n'arrivent jamais jusqu'à Paris. **F**
7. Les Vikings sont les ancêtres des Normands d'aujourd'hui. **V**
8. Le duc Guillaume de Normandie fait la conquête de l'Angleterre. **V**
9. Le français n'a pas influencé la langue anglaise. **F**
10. La conquête de l'Angleterre est une des causes lointaines de la Guerre de Cent Ans. **V**

B **Mettez dans l'ordre chronologique en numérotant de 1 à 6 et donnez la date des événements suivants.**

le traité de Saint-Clair-sur-Epte	date:	<u>911</u>	4
la bataille de Hastings	date:	<u>1066</u>	5
le couronnement de Charlemagne	date:	<u>800</u>	3
la mort de Clovis	date:	<u>511</u>	1
la victoire de Charles Martel sur les Arabes	date:	<u>732</u>	2

Vie et littérature

C **Indiquez les phrases qui vont ensemble.**

column 1

1. *La Chanson de Roland* est basée sur un fait historique. **f**
2. L'épée de Roland s'appelle Durandal. **g**
3. Roland va mourir: Il se couche sous un arbre, tourné vers l'Espagne. **i**
4. Roland est victime d'une trahison. **h**
5. Il n'y a qu'une seule femme dans *La Chanson de Roland.* **j**
6. Aude n'est pas la seule héroïne du Moyen-Âge qui meurt d'amour. **e**
7. Les romans courtois sont très différents des chansons de geste. **c**
8. La potion magique que Tristan et Yseut ont bue est un symbole. **d**
9. Le roi Marc est triste de la mort de Tristan et Yseut mais il leur pardonne. **b**
10. Tristan est différent de Roland. **a**

column 2

a. Il meurt d'amour. Roland meurt au combat.
b. Il ordonne de laisser pousser la ronce sur la tombe des amoureux.
c. Ils sont destinés à un public cultivé et sont surtout des histoires d'amour.
d. Elle représente la fatalité de la passion.
e. Yseut est victime, elle aussi, de son amour pour un mort.
f. C'est une attaque dans un col des Pyrénées.
g. Roland essaie en vain de la briser sur un rocher.
h. C'est, dit *La Chanson*, Ganelon qui le déteste.
i. Il ne veut pas qu'on le trouve le dos tourné à ses ennemis.
j. C'est la belle Aude, sa fiancée.

D **Identifiez.**

1. Une chanson de geste <u>est un long poème qui raconte l'aventure héroïque d'un personnage du passé, déjà devenu légendaire</u>.
2. Un roman courtois <u>est une œuvre en prose destinée aux gens des châteaux, surtout aux dames. C'est une histoire d'amour</u>.
3. Les Pyrénées <u>sont les montagnes qui séparent la France de l'Espagne</u>.
4. Les Sarrasins <u>sont les Arabes (les ennemis des chrétiens) dans *La Chanson de Roland*. Ils attaquent l'arrière-garde de Charlemagne au col de Roncevaux</u>.
5. Tristan <u>est le héros d'un roman courtois. Il boit une potion magique et tombe amoureux d'Yseut, la fiancée du roi Marc</u>.
6. L'autre fiancé que Charlemagne offre à la belle Aude <u>est son fils Louis</u>.

Perfectionnez votre grammaire

Le passé composé et l'imparfait

E Complétez par le verbe à l'imparfait.

1. Je **finissais** quand vous êtes arrivés. (finir)
2. Vous **alliez** toujours à l'école ensemble. (aller)
3. Je ne **savais** pas la réponse. (savoir)
4. **Dormiez**-vous quand la cloche a sonné? (dormir)
5. Qu'est-ce que tu **disais** quand j'ai interrompu? (dire)
6. Pourquoi Luc n'**était**-il pas à notre rendez-vous? (être)

F Complétez par le verbe au passé composé.

1. Qu'est-ce que vous **avez appris** dans cette classe? (apprendre)
2. Qu'est-ce que tu **as vu** à la télé? (voir)
3. Pendant la guerre, les gens **ont souffert** de la faim et de la soif. (souffrir)
4. Le professeur était furieux. Il **est devenu** tout rouge! (devenir)
5. Au cimetière, la famille **a couvert** la tombe de fleurs. (couvrir)
6. Monsieur, **êtes-vous allé** voir cette pièce de théâtre? (aller)

L'accord du participe passé

G Faites l'accord où c'est nécessaire.

1. Où as-tu laissé **-** la clé de ta voiture?
2. Je l'ai mis**e** dans le garage.
3. Et la porte? L'as-tu fermé**e** ?
4. Oui, j'ai fermé **-** la porte et j'ai mis **-** la clé dans la poche de mon jeans.
5. Oh zut! J'ai placé **-** mon jeans dans la machine à laver et je l'ai mis**e** en marche (*turned it on*)!
6. Je sais. J'ai trouvé **-** la clé et je l'ai rapportée à sa place.

H Mettez le passage suivant au *passé* en mettant les verbes au *passé composé* et à l'*imparfait*. Accordez les *participes passés* quand c'est nécessaire.

L'hiver dernier, mes copains et moi nous **sommes allés** (aller) faire du ski. Il y **avait** (avoir) beaucoup de neige et c'**était** (être) merveilleux. Nous **sommes par-** tis (partir) de bonne heure parce que nous **savions** (savoir) qu'il y **avait** (avoir) beaucoup de circulation et nous ne **voulions** pas (vouloir) être sur la route la nuit. Quand nous **sommes arrivés** (arriver) nous **avons vu** (voir) d'autres copains qui **étaient** (être) là aussi. Nous **avons dîné** (dîner) ensemble et nous **avons passé** (passer) la soirée à causer et à rire.

Le lendemain, ma sœur Suzie **est venue** (venir). C'**était** (être) une surprise! Elle **m'a dit** (dire) qu'elle **savait** (savoir) très bien faire du ski. Nous **avons ri** (rire) et nous **pensions** (penser) que c'**était** (être) une plaisanterie. Mais c'**était** (être) vrai! Elle **n'est pas tombée** (ne pas tomber) une seule fois! Mes copains **ne pouvaient pas** (ne pas pouvoir) comprendre pourquoi elle **était** (être) si bonne et pourquoi moi, je **tombais** (tomber) tout le temps!

Le passé simple ou passé littéraire

I Remplacez les verbes au passé simple par le passé composé.

Quand Charlemagne *revint* **est revenu** au col de Roncevaux, il *trouva* **a trouvé** Roland mort et *vit* **a vu** aussi le corps de nombreux chevaliers. Il *pria* **a prié** Dieu et *pleura* **a pleuré**.

Puis il *retourna* **est retourné** à Aix-la-Chapelle et *rentra* **est rentré** dans son palais. Quand Aude *apprit* **a appris** son retour, elle *courut* **a couru** le voir et lui *demanda* **a demandé** où était Roland, son fiancé. Charlemagne *tira* **a tiré** sa barbe et *admit* **a admis** que Roland était mort. Il lui *proposa* **a proposé** son fils, mais elle *refusa* **a refusé**. Les barons *essayèrent* **ont essayé** de la consoler, mais elle *tomba* **est tombée** morte à leurs pieds.

Composition

J Écrivez une composition sur *un* des sujets proposés.

1. Racontez un petit voyage que vous avez fait. Quand? Où êtes-vous allé(e)? Avec qui? Pourquoi? Qu'est-ce que vous avez emporté? acheté? vu? mangé? fait? etc. Conclusion: Était-ce une bonne ou une mauvaise aventure? Pourquoi?

OU

2. Nommez cinq choses que vous avez faites qui ont fait plaisir à vos parents, trois choses que vous avez faites qui n'ont pas fait plaisir à vos parents. (Exemples: J'ai rangé ma chambre. J'ai perdu mes livres de classe.)

QUATRIÈME ÉTAPE

Un peu d'histoire

Croisades, cathédrales et calamités

A **Vrai ou faux?**

1. Le pèlerinage de Jérusalem était important pour les chrétiens du Moyen-Âge. V
2. Le peuple n'était pas très enthousiasmé par l'idée d'une Croisade. F
3. On appelle les Croisés de ce nom, parce qu'ils portent une croix en bois. F
4. La Première Croisade réussit à prendre Jérusalem. V
5. Il y a douze Croisades. F
6. Les Croisades ouvrent le monde pour les Européens du Moyen-Âge. V
7. Les cathédrales romanes sont caractérisées par leurs arches rondes. V
8. Les vitraux donnent une lumière colorée à l'intérieur des cathédrales gothiques. V
9. La Guerre de Cent Ans est une terrible calamité pour la France. V
10. La carrière de Jeanne d'Arc a duré pendant trente ans. F

B **Mettez dans l'ordre chronologique en numérotant de 1 à 5.**

le commencement de la Guerre de Cent Ans (1337) 3
la Première Croisade 1
Jeanne d'Arc 5
le roi Saint Louis 2
la Bataille d'Azincourt 4

C **Identifiez. (Choisissez deux sujets.)**

1. Les Croisades <u>sont les huit expéditions faites par les chrétiens pour délivrer la Terre Sainte des mains des musulmans</u>.

2. Les cathédrales <u>sont les églises (romanes et gothiques) des évêques, construites dans les grandes villes. Les cathédrales romanes ont des arches rondes; les cathédrales gothiques ont des arches brisées.</u>

3. La Guerre de Cent Ans <u>est la guerre entre la France et l'Angleterre pour la possession du trône de France. C'est une guerre désastreuse pour la France.</u>

Vie et littérature

La Farce de Maître Pathelin

D **Caractérisez chacun des personnages en employant quelques-uns des termes suivants. (Il / Elle est... , Il / Elle n'est pas...)**

Quelques adjectifs utiles: rusé, malin, habile, malhonnête, naïf, confus, hypocrite, menteur, malade, en bonne santé

D'autres termes utiles: faire semblant de, refuser de, mélanger, défendre, décider de, etc.

1. Maître Pathelin, l'avocat: <u>Il est rusé, habile, malhonnête, menteur et hypocrite. Il est en bonne santé mais il fait semblant d'être malade. Il n'est pas naïf. Quand il défend Thibaut le berger, il lui conseille de faire semblant d'être simple d'esprit et de dire Bêe pour tromper le juge.</u>

2. Guillemette, sa femme: <u>Elle est malhonnête, menteuse et fait semblant de croire que son mari est très malade.</u>

3. Le drapier: <u>Il est naïf. Il croit qu'il va gagner son procès contre Thibaut le berger. Il est confus. Il mélange les aulnes de drap que Pathelin refuse de payer et les moutons que Thibaut lui a volés. Il n'est ni rusé ni habile.</u>

4. Thibaut, le berger : <u>Il est rusé, malin et habile. Il fait semblant d'être fou en continuant à dire Bêe après la fin du procès. Il décide de ne pas payer l'avocat.</u>

E **Répondez.**

Pourquoi *La Farce* est-elle amusante?
<u>Answers will vary.</u>

«La Ballade des pendus» (Villon)

F **Répondez aux questions.**

1. Que savez-vous sur François Villon?
   <u>Answers will vary.</u>
2. Dans quelles circonstances a-t-il écrit *«La Ballade des pendus»*?
3. Qu'est-ce qu'il demande dans ce poème?

Perfectionnez votre grammaire

Les pronoms d'objet direct et indirect

G **Remplacez les noms en italique par un ou des pronoms (*le, la, l': les; lui: leur et y, en*).**

1. Tu me donnes *la réponse*. <u>Tu me la donnes.</u>
2. J'explique *la leçon à mon petit frère*. <u>Je la lui explique.</u>
3. Vous restez *à la maison*. <u>Vous y restez.</u>
4. Nous mangeons *des fruits*. <u>Nous en mangeons.</u>
5. J'ai *une sœur*. <u>J'en ai une.</u>
6. Il y a *des difficultés*. <u>Il y en a.</u>
7. Nous apportons *des fleurs à notre amie*. <u>Nous lui en apportons.</u>
8. Les gens ont vu *les nouvelles à la télévision*. <u>Les gens les y ont vues.</u>

H **Répondez affirmativement et négativement aux questions en employant les pronoms nécessaires.**

1. As-tu une voiture? Oui, <u>j'en ai une</u>. Non, <u>je n'en ai pas</u>.
2. Vas-tu au match de foot? Oui, <u>j'y vais</u>. Non, <u>je n'y vais pas</u>.
3. Y a-t-il du pain pour le dîner? Oui, <u>il y en a</u>. Non, <u>il n'y en a pas</u>.
4. Mets-tu tes affaires dans ton armoire? Oui, <u>je les y mets</u>. Non, <u>je ne les y mets pas</u>.

5. Est-ce que ton père hésite à te donner de l'argent? Oui, <u>il hésite à m'en donner</u>. Non, <u>il n'hésite pas à m'en donner</u>.
6. Penses-tu aller à l'université? Oui, <u>je pense y aller</u>. Non, <u>je ne pense pas y aller</u>.

I **Faites des questions avec des pronoms.**

1. Tu as *le journal*. <u>Tu l'as? (L'as-tu?)(Est-ce que tu l'as?)</u>
2. Tu manges *des frites*. <u>Tu en manges? (En manges-tu?) (Est-ce que tu en manges?)</u>
3. Nous allons *à la maison*. <u>Nous y allons? (Y allons-nous?) (Est-ce que nous y allons?)</u>
4. Ma mère me donne *des conseils*. <u>Ta mère t'en donne? (Ta mère t'en donne-t-elle?) (Est-ce que ta mère t'en donne?)</u>
5. Il y a *des fleurs* sur le bureau. <u>Il y en a sur le bureau? (Y en a-t-il sur le bureau?) (Est-ce qu'il y en a sur le bureau?)</u>
6. Le professeur pose *cette question à Luc*. <u>Le professeur la lui pose? (Le professeur la lui pose-t-il?) (Est-ce que le professeur la lui pose?)</u>

Les pronoms et l'impératif

J **Remplacez les noms en italique par un ou des pronoms.**

1. Donne-moi *de l'argent*, s'il te plaît. <u>Donne-m'en, s'il te plaît.</u>
2. Expliquez-moi *ce problème*. <u>Expliquez-le-moi.</u>
3. Ne va pas *à ce concert*. <u>N'y va pas.</u>
4. Dis *la vérité au directeur*. <u>Dis-la-lui.</u>

Composition

K **Écrivez une composition sur le sujet suivant.**

Jeanne d'Arc. Racontez la vie, les aventures et la mort de Jeanne d'Arc. (Employez les pronoms: Admire-t-elle le Dauphin? Conduit-elle le Dauphin à son couronnement? Va-t-elle à Chinon? Gagne-t-elle des batailles? Meurt-elle à Orléans?, etc.)

CINQUIÈME ÉTAPE

Un peu d'histoire

La France en transformation: Les Grandes Découvertes du XVᵉ siècle

A **Vrai ou faux?**

1. Les Grandes Découvertes du XVᵉ siècle sont la boussole et l'imprimerie. **V**
2. La boussole permet de faire de longs voyages en mer. **V**
3. Christophe Colomb a visité le continent américain. **F**
4. Le Québec, au Canada, reste français de langue et de tradition. **V**
5. On ne sait pas quel est le premier livre imprimé par Gutenberg. **F**
6. L'Édit de Villers-Cotteret ordonne d'écrire tous les documents officiels en latin. **F**
7. La Renaissance française est associé au nom de François Iᵉʳ. **V**
8. La Vallée de la Loire est célèbre pour ses industries. **F**
9. Martin Luther est indigné par la vente des indulgences. **V**
10. Le roi Henri IV cherche à faire la paix entre catholiques et protestants. **V**

Vie et littérature

B **Indiquez les phrases qui vont ensemble.**

column 1

1. Rabelais représente bien l'esprit de la Renaissance. **b**
2. Quand Pantagruel est né, son père éprouve deux émotions. **g**
3. La rôtisserie de la place du Châtelet était un endroit favori des pauvres gens. **d**
4. Quel était le jugement de Jehan le Fou? **f**
5. Moi, je ne trouve pas que Jehan le Fou est fou! **a**
6. Les navigateurs espagnols ont dit aux Indiens que le Pape avait donné leurs terres au roi d'Espagne. **c**
7. Ronsard était amoureux d'une jeune fille nommée Cassandre. **e**

column 2

a. Je suis d'accord: Il montre beaucoup de bon sens.
b. Sa langue est riche, sa joie de vivre immense.
c. Ceux-ci ont répondu qu'on ne pouvait pas donner ce qui appartenait à d'autres.
d. Ils pouvaient sentir la délicieuse odeur des rôtis.
e. Il a comparé la beauté de la jeune fille à celle d'une rose.
f. Il a décidé que la fumée du rôti avait la même valeur que le son de la pièce de monnaie.
g. Il est joyeux de la naissance de son fils, mais triste de la mort de sa femme.

C **Imaginez ce que feront les personnages suivants après la fin des passages que vous avez lus.**

1. Que fera Gargantua? (Pleurera-t-il beaucoup? Cherchera-t-il une autre femme? En trouvera-t-il une? Sera-t-il un bon père? etc.) <u>Answers will vary but may include the following. Gargantua cherchera une autre femme. Il en trouvera une et il sera un bon père, non seulement pour Pantagruel mais pour tous les autres enfants qu'il aura avec sa nouvelle femme.</u>

2. Que fera ce pauvre diable qui mangeait son pain à la fumée du rôti? (Retournera-t-il devant cette rôtisserie? Amènera-t-il ses amis? Aura-t-il une autre idée? Demandera-t-il l'aide de Jehan le Fou s'il a d'autres problèmes? etc.) <u>Answers will vary but may include the following. Ce pauvre diable retournera devant cette rôtisserie et il y amènera tous ses amis parce qu'il sait que, après le jugement de Jehan le Fou, le rôtisseur n'osera plus lui demander de payer la fumée de son rôti. Et si jamais il a d'autres problèmes il demandera l'aide de Jehan le Fou.</u>

D **Répondez.**

1. Pourquoi Ronsard compare-t-il la beauté de la jeune fille à celle d'une rose? <u>Answers will vary but may include the following. Il la compare à celle d'une rose parce que la beauté de la jeune fille, comme celle de la rose, dure très peu de temps.</u>

2. Quel conseil Ronsard donne-t-il à Cassandre? <u>Il lui conseille de «cueillir» sa jeunesse avant d'être vieille.</u>

3. Êtes-vous d'accord avec le poète? Pourquoi ou pourquoi pas?
Answers will vary.

Perfectionnez votre grammaire

Le futur

E **Mettez le passage suivant au futur d'après les indications.**

L'année prochaine, j(e) **irai** (aller) à l'université. Je **serai** (être) heureux(-se) de commencer une nouvelle période de ma vie. J'espère que j(e) **aurai** (avoir) un(e) camarade de chambre sympa. Je promets que je **tiendrai** (tenir) ma chambre en ordre et que je **préparerai** (préparer) toutes mes classes. Je **lirai** (lire) mes livres et je **prendrai** (prendre) des notes en classe. Je **rencontrerai** (rencontrer) des gens nouveaux, je **sortirai** (sortir) le soir et je **verrai** (voir) une autre ville. Ce **sera** (être) passionnant, et je **ferai** (faire) de mon mieux, alors je suis sûr(e) que je **réussirai** (réussir).

Le conditionnel

F **Mettez le passage suivant au conditionnel d'après les indications.**

Ah, si j'étais riche! **Voudriez**-vous (vouloir) visiter mon château? **Aimeriez**-vous (aimer) voyager sur mon yacht? Moi, je **serais** (être) généreux(-se), je **ferais** (faire) des cadeaux à tout le monde! Alors, les gens **diraient** (dire) que je suis formidable. Ils **essayeraient** (essayer) de me parler, ils **penseraient** (penser) que je **pourrais** (pouvoir) résoudre leurs problèmes! Il y **aurait** (avoir) beaucoup de monde autour de moi, mais est-ce que j(e) **aurais** (avoir) de vrais amis?

Le futur antérieur

G **Mettez le passage suivant au futur antérieur d'après les indications.**

Quand vous finirez vos années d'école secondaire, vous **aurez suivi** (suivre) cinq cours de maths, vous **aurez passé** (passer) trente examens. Vous **serez allé(e)** (aller) à l'école pendant trois ans. Les professeurs **auront répété** (répéter) dix millions de fois «Ne dormez pas en classe!» et vous **aurez dormi** (dormir) vingt-cinq fois. Mais vous **aurez appris** (apprendre) beaucoup de choses et vous ne les **aurez pas oubliées** (oublier).

Le conditionnel passé (parfait)

H **Mettez le passage suivant au conditionnel passé d'après les indications.**

Si j'avais été à la place de Jeanne d'Arc, je **serais restée** (rester) à la ferme de mes parents, je **n'aurais pas écouté** (ne pas écouter) les voix qui me disaient d'aller délivrer la France. J(e) **aurais vécu** (vivre) plus longtemps, mais je **ne serais pas devenue** (ne pas devenir) une héroïne nationale!

Le verbe devoir

I **Répondez en utilisant devoir.**

1. Qu'est-ce qu'on devrait faire pour avoir des amis sincères? **On devrait... (Answers will vary.)**
2. Qu'est-ce que vous devriez faire tous les matins? **Je devrais... (Answers will vary.)**
3. Qu'est-ce que vous auriez dû faire avant cet examen? **J'aurais dû... (Answers will vary.)**

Composition

J **Écrivez une composition sur le sujet suivant.**

Ah, les rêves! Si vous pouviez changer votre apparence, votre maison, votre famille, vos talents, que feriez-vous? (Vous ne changeriez peut-être rien, alors dites pourquoi.)

SIXIÈME ÉTAPE

Un peu d'histoire

Le dix-septième siècle: Le Grand Siècle ou l'Âge Classique

A **Vrai ou faux?**

1. Louis XIII devient roi à l'âge de neuf ans.   V
2. Le premier ministre, Richelieu, guide le pays.   V
3. C'est le roi Louis XIII qui fonde l'Académie française.   F
4. L'Académie française n'existe plus aujourd'hui.   F
5. Louis XIV aime se comparer au soleil.   V
6. Versailles est à quinze kilomètres de Paris.   V
7. Il n'y avait pas de guerres sous le règne de Louis XIV.   F
8. Dans les «salons», les dames reçoivent des poètes, des artistes et des auteurs de pièces de théâtre.   V
9. On appelle ce siècle le *Grand Siècle* parce qu'il a duré plus que les autres.   F
10. Versailles n'est pas une folie du roi mais une manœuvre bien calculée.   V

B **Mettez dans l'ordre chronologique en numérotant de 1 à 3 et donnez la date des événements suivants.**

la fondation de l'Académie française   date: <u>1635</u>   1

le commencement du règne personnel de Louis XIV   date: <u>1638</u>   2

la fin de la construction de Versailles   date: <u>1680</u>   3

C **Identifiez.**

1. Richelieu <u>est le premier ministre de Louis XIII. Il va travailler pour rendre absolu le pouvoir du roi. Il interdit les duels, confisque la fortune des protestants et déclare la guerre contre la Maison d'Autriche. Il fonde l'Académie française.</u>

2. Louis XIV <u>est le Roi-Soleil au pouvoir absolu. Il aurait dit: «L'État, c'est moi.» Il fait construire un palais à Versailles où la cour vit dans un luxe difficilement imaginable aujourd'hui. Il fait constamment la guerre aux autres pays d'Europe.</u>

3. Madame de Rambouillet <u>est une marquise qui tient un salon, «la chambre bleue», où viennent beaucoup de poètes et auteurs de pièces de théâtre. Ses amis l'appellent «l'incomparable Arthénice».</u>

Vie et littérature

L'École des femmes (Molière)

D **Répondez aux questions.**

1. Qui a écrit cette pièce? Est-ce une tragédie ou une comédie? <u>Molière a écrit cette pièce. C'est une comédie.</u>

2. Qui est Agnès? <u>Agnès est une jeune femme de 16 ans qui est orpheline et dont Arnolphe est devenu le gardien. Il l'a fait élever dans un couvent et maintenant il veut l'épouser.</u>

3. Qui est Arnolphe? <u>Arnolphe est le gardien d'Agnès. Il a quarante ans et il veut l'épouser parce qu'il croit qu'elle est complètement innocente et ne le trompera pas.</u>

4. Au dix-septième siècle, est-ce qu'une jeune fille avait le droit de choisir son mari? <u>Non, elle n'avait pas le droit de choisir son mari. Ce sont ses parents qui choisissaient son mari pour elle.</u>

5. Est-ce qu'Agnès est complètement naïve? Pourquoi? <u>Non, elle n'est pas complètement naïve. Elle obéit à Arnolphe en jetant un grès à Horace, mais elle lui envoie un mot en même temps pour l'inviter à venir dans sa chambre.</u>

6. Qu'est-ce qu'elle a donné au jeune homme? <u>Elle lui a donné un ruban.</u>

7. Pourquoi Arnolphe lui pose-t-il toutes ces questions? <u>Il lui pose toutes ces questions parce qu'il est jaloux et ne veut pas qu'Agnès en aime un autre.</u>

8. Comment finit la pièce? Est-ce une fin heureuse ou triste? Pourquoi? <u>À la fin de la pièce Agnès épouse Horace. Arnolphe est humilié. C'est une fin heureuse parce que l'amour est victorieux.</u>

Lettre à sa fille sur la mort de Vatel
(Madame de Sévigné)

E **Répondez aux questions.**

1. Où s'est passée cette scène? À quelle occasion? <u>Cette scène s'est passée au château de Chantilly. Le roi Louis XIV y est allé passer quelques jours avec tout sa cour.</u>

2. Y avait-il quelques petits problèmes le premier soir? <u>Oui, le premier soir il n'y avait pas assez de rôti pour tout le monde. Et le feu d'artifice n'a pas réussi.</u>

3. Pourquoi Vatel était-il consterné? <u>Il était consterné parce qu'il considérait que son honneur était perdu.</u>

4. Qu'est-ce qui s'est passé le lendemain? <u>Le lendemain il a vu un garçon qui travaillait dans la cuisine et qui apportait seulement deux paniers de poisson, alors que Vatel en avait commandé à tous les ports de mer. Il lui a demandé si c'était tout et le garçon a dit oui.</u>

5. Comment Vatel a-t-il montré son désespoir? <u>Il s'est suicidé en mettant son épée contre la porte et en se la passant à travers le cœur.</u>

6. Que pensez-vous d'un tel suicide? <u>Answers will vary but may include the following. Je pense qu'un tel suicide est tragique: Vatel avait poussé le sens de ses responsabilités jusqu'à la mort.</u>

Perfectionnez votre grammaire

Les subjonctifs irréguliers

F **Répondez en employant le subjonctif.**

1. Il faut qu'Agnès <u>sache</u> qu'Arnolphe veut l'épouser. (savoir)
2. Il faut qu'elle <u>puisse</u> parler à Horace. (pouvoir)
3. Pour un homme comme Vatel, il faut que tout <u>soit</u> parfait. (être)
4. Il faut que nous <u>fassions</u> très attention. (faire)
5. Il faut que le professeur <u>veuille</u> nous donner des A! (vouloir)

Le subjonctif en général

G **Répondez en employant le subjonctif.**

Pour votre santé. Il faut que vous <u>buviez</u> (boire) beaucoup d'eau. Il ne faut pas que vous <u>restiez</u> (rester) dehors quand il fait froid, ou bien il faut que vous <u>preniez</u> (prendre) un pullover. Il faut aussi que vous <u>mettiez</u> (mettre) un manteau ou une jaquette.

Pour être sympa dans la classe de français. Il faut que vous <u>riiez</u> (rire) quand la classe est drôle, et il ne faut pas que vous <u>oubliiez</u> (oublier) de préparer la leçon. Il est possible que vous <u>croyiez</u> (croire) que le professeur est un peu sourd (*deaf*) et que vous <u>pensiez</u> (penser) qu'il n'est pas très intelligent. Vous avez peut-être raison, mais il vaut mieux que vous <u>étudiiez</u> (étudier)!

Le subjonctif après penser, croire, espérer et il me semble

H **Répondez en employant le subjonctif ou l'indicatif, selon le cas.**

1. Je pense que vous <u>êtes</u> (être) mon ami et je ne pense pas que vous <u>disiez / dites</u> (dire) du mal de moi.
2. Il me semble qu'il <u>fait</u> (faire) beau et il ne me semble pas qu'il <u>fasse / fait</u> (faire) froid.
3. Je ne crois pas que tu <u>sois / es</u> (être) gravement malade et je pense que tu <u>préfères</u> (préférer) aller à la plage.
4. J'espère que tout <u>va</u> (aller) bien pour toi.

L'usage du subjonctif

I **Quelle est la forme correcte? Choisissez.**

1. Louis XIV voulait que les nobles ___.   **a**
   a. soient à Versailles
   b. étaient à Versailles

2. Restez jusqu'à ce que la classe ___.   **a**
   a. finisse
   b. finit

3. Aimez-vous qu'on vous ___.   **b**
   a. fait des compliments
   b. fasse des compliments

4. Je suis en avance de peur que l'autobus ___.   **b**
   a. part sans moi
   b. parte sans moi

5. Nous sommes certains que vous ___.   b
   a. soyez gentils et intelligents
   b. êtes gentils et intelligents

J Employez le subjonctif vous-même (ou ne l'employez pas).

1. Nommez deux choses que vous souhaitez: Je souhaite que ___. <u>Answers will vary.</u>
2. Nommez deux choses dont vous avez peur: J'ai peur que ___.
3. Nommez deux choses que vos parents voudraient: Mes parents voudraient que ___.

Composition

K Écrivez une composition sur le sujet suivant.

Beaucoup de choses peuvent arriver aujourd'hui. Qu'est-ce qui peut arriver? (Il est possible que...) Qu'est-ce qui est impossible? (Il est impossible que...) Qu'est-ce qui est désirable? (Il est désirable que...) Qu'est-ce qui est probable? (Il est probable que...)

SEPTIÈME ÉTAPE

Un peu d'histoire

Le dix-huitième siècle

A Vrai ou faux?

1. De 1643 à 1774, la France a seulement deux rois.   V
2. Louis XV assume la responsabilité du gouvernement en 1715.   F
3. La Louisiane est nommée en l'honneur du roi Louis XIV.   V
4. Le Système de Law finit par une faillite.   V
5. Louis XV reste le Bien-Aimé pendant tout son règne.   F
6. L'*Encyclopédie* propose des réponses nouvelles à des questions traditionnelles.   V
7. Diderot, Condorcet, et d'Alembert écrivent des pièces de théâtre.   F
8. Voltaire attaque l'idée que le monde ne peut pas être meilleur.   V

9. Rousseau propose un système de gouvernement démocratique.   V
10. À sa mort, Louis XV laisse une situation difficile à son successeur.   V

B Mettez dans l'ordre chronologique en numérotant de 1 à 5 et donnez la date des événements suivants.

la publication de l'*Encyclopédie*	date: <u>1751</u>	4
la Compagnie du Mississippi	date: <u>1720</u>	3
la mort de Louis XIV	date: <u>1715</u>	2
l'acquisition de la Louisiane	date: <u>1699</u>	1
la mort de Louis XV	date: <u>1774</u>	5

C Identifiez.

1. Le duc d'Orleans <u>est l'oncle de Louis XV. C'est lui qui assure la Régence. Il aime surtout les plaisirs.</u>
2. Law <u>est un financier anglais. Il fonde la Compagnie du Mississippi qui finit par une faillite.</u>
3. Madame de Pompadour <u>est une bourgeoise très belle à qui Louis XV donne le titre de marquise. Elle vit à Versailles comme favorite du roi. Elle encourage les artistes.</u>
4. Diderot <u>est un philosophe et un des auteurs de l'*Encyclopédie*.</u>
5. Rousseau <u>étudie les causes de l'inégalité et propose la démocratie. Il est aussi l'auteur de *Émile, ou de l'éducation*, un livre sur l'éducation des enfants.</u>

Vie et littérature

Candide ou de l'optimisme (Voltaire)

D Indiquez les phrases qui vont ensemble.

column 1
1. Candide est un jeune homme qui habitait chez un baron.   c
2. Pangloss était un précepteur (ou tuteur).   d
3. Un jour, Candide a rencontré Cunégonde dans le parc.   f
4. Chassé du château, le pauvre Candide a faim et il entre dans l'armée bulgare.   e
5. Dans une terrible tempête, il n'y a qu'un seul homme héroïque.   a
6. Il y a une morale à l'histoire de Candide.   b

column 2

a. C'est Jacques l'Anabaptiste, membre d'une secte persécutée.
b. Restons chez nous et cultivons notre jardin.
c. Il était naïf et ne connaissait pas le monde.
d. Il enseignait une philosophie compliquée et absurde.
e. Là, Candide se trouve au milieu d'une grande bataille.
f. Très amoureux de la jeune fille, Candide a pris sa main et ils se sont embrassés.

E **Répondez.**

Que veut dire Voltaire quand il nous conseille de «cultiver notre jardin»? <u>Il veut dire qu'il faut mener une vie calme sans se préoccuper des événements politiques et du monde extérieur.</u>

Le ruban volé (Rousseau)

F **Résumez la scène en répondant aux questions.**

1. Qui est là? Pourquoi? Qu'est-ce que le jeune homme a fait? <u>Toute la famille et tous les domestiques du comte étaient là, parce qu'il fallait savoir lequel des deux—Rousseau ou Marion, la cuisinière—avait volé le ruban. Il a accusé Marion du vol, mais c'est lui qui a volé le ruban.</u>

2. Quelle est l'attitude de Marion? <u>Elle se défend avec fermeté et simplicité, mais sans se fâcher contre Rousseau.</u>

3. Qui admirez-vous et pourquoi? <u>Answers will vary but may include the following. J'admire Marion parce qu'elle est restée calme face à l'accusation injuste de Rousseau.</u>

Perfectionnez votre grammaire

Les verbes pronominaux

G **Répondez affirmativement et négativement.**

1. Vous ennuyez-vous quelquefois? <u>Oui, je m'ennuie quelquefois. Non, je ne m'ennuie jamais.</u>
2. Vous mettez-vous souvent en colère? <u>Oui, je me mets souvent en colère. Non, je ne me mets pas souvent (jamais) en colère.</u>
3. T'inquiètes-tu souvent? <u>Oui, je m'inquiète souvent. Non, je ne m'inquiète pas souvent (jamais).</u>
4. Nous amusons-nous dans cette classe? <u>Oui, nous nous amusons dans cette classe. Non, nous ne nous amusons pas dans cette classe.</u>
5. S'arrête-t-on pour un feu de circulation? <u>Oui, on s'arrête pour un feu de circulation. Non, on ne s'arrête pas pour un feu de circulation.</u>

H **Formulez la question d'après les indications.**

1. Ta cousine se marie. (Quand?) <u>Quand est-ce que ta cousine se marie? (Quand ta cousine se marie-t-elle?)</u>
2. Je ne me suis pas lavé les cheveux. (Pourquoi?) <u>Pourquoi est-ce que tu ne t'es pas (vous ne vous êtes pas) lavé les cheveux? (Pourquoi ne t'es-tu pas [ne vous êtes-vous pas] lavé les cheveux?)</u>
3. Luc et Caroline se sont rencontrés. (Où?) <u>Où est-ce que Luc et Caroline se sont rencontrés? (Où Luc et Caroline se sont-ils rencontrés?)</u>
4. Candide et Cunégonde s'aiment. (Depuis quand?) <u>Depuis quand Candide et Cunégonde s'aiment-ils? (Depuis quand est-ce que Candide et Cunégonde s'aiment?)</u>

Verbes pronominaux à sens idiomatique

I **Répondez aux questions.**

1. À quoi faut-il se faire en Alaska? <u>Il faut se faire au froid.</u>
2. Comment vous y prenez-vous pour préparer un examen? <u>Je relis mes notes et j'étudie la leçon.</u>
3. À qui vous en prenez-vous quand vous avez un accident? <u>Answers will vary. Je m'en prends à...</u>

4. Vous rendez-vous compte que le temps passe vite? <u>Oui, je me rends compte que le temps passe vite. (Non, je ne me rends pas comte que le temps passe vite.)</u>

Verbes pronominaux à sens passif

J Dites d'une autre façon avec un verbe pronominal.

1. Cette maison est louée au mois. <u>Cette maison se loue au mois.</u>
2. On lit les nouvelles dans le journal. <u>Les nouvelles se lisent dans le journal.</u>
3. On mange la soupe chaude et on boit l'eau fraîche. <u>La soupe se mange chaude et l'eau se boit fraîche.</u>
4. En France, le pain n'est pas mangé avec du beurre. <u>En France, le pain ne se mange pas avec du beurre.</u>

Le passé des verbes pronominaux

K Mettez le passage suivant au passé. (N'oubliez pas de faire l'accord du participe passé quand il est nécessaire.)

(C'est Caroline qui parle): Samedi dernier, je <u>me suis habillée</u> (s'habiller), je <u>me suis préparée</u> (se préparer) et je <u>me suis mise en route</u> (se mettre en route). Mes amis et moi, nous <u>nous sommes rencontrés</u> (se rencontrer) chez Luc. Sa mère <u>s'est demandé</u> (se demander) qui allait conduire. Luc <u>s'est proposé</u> (se proposer). Mais tout le monde <u>s'est exclamé</u> (s'exclamer): «Tu n'es pas un chauffeur! Tu es un kamikase! (*suicidal maniac*)» Alors Luc <u>s'est fâché</u> (se fâcher). Il <u>s'est mis en colère</u> (se mettre en colère) et il a dit que nous <u>nous trompions</u> (se tromper). Mais les copains <u>se sont consultés</u> (se consulter) et <u>se sont mis d'accord</u> (se mettre d'accord): «C'est toi, Caroline, qui vas conduire.»

Composition

L Écrivez une composition sur le sujet suivant.

Pour être à la mode. Qu'est-ce qui se fait cette année? Qu'est-ce qui ne se fait pas? Qu'est-ce qui s'écoute? Si vous n'êtes pas à la mode, est-ce que ça se voit? Comment? Quand une mode est nouvelle, il faut s'y faire. Vous y faites-vous, si la mode demande des cheveux violets? La tête rasée? De la musique complètement discordante? Pourquoi?

HUITIÈME ÉTAPE

Un peu d'histoire
Descente vers la terrible Révolution

A Vrai ou faux?

1. Quand Louis XV est mort, son petit-fils, Louis XVI, lui a succédé. — V
2. La reine est Marie-Antoinette. Elle est née en France. — F
3. Le style Louis XVI a des lignes courbes. — F
4. Malgré ses difficultés financières, la France a aidé les États-Unis dans leur Guerre d'Indépendance. — V
5. On ne connaît le nom d'aucun des volontaires qui sont allés en Amérique. — F
6. Jefferson et Franklin sont envoyés près du gouvernement français. — V
7. La réunion des États généraux est faite régulièrement tous les ans. — F
8. Les représentants du Tiers-État sont reçus avec beaucoup de respect à Versailles. — F
9. Le Serment du Jeu de paume promet de donner une constitution à la France. — V
10. La Bastille était pleine de prisonniers politiques de Louis XVI. — F

B Mettez dans l'ordre chronologique en numérotant de 1 à 5 et donnez la date des événements où c'est indiqué.

le mariage de Louis XVI et de Marie-Antoinette		1
la prise de la Bastille	date: <u>14 juillet 1789</u>	5
la réunion des États généraux		4
le Traité de Versailles reconnaît l'indépendance des États-Unis	date: <u>1783</u>	3
la mort de Louis XV	date: <u>1774</u>	2

C Que savez-vous sur trois des événements ou personnages suivants?

1. la vie à Versailles sous Louis XVI: <u>Il y avait des bals, des fêtes, un luxe sans limites. Les robes et les bijoux de la reine coûtaient à eux seuls une</u>

fortune. Versailles était comme une île enchantée, séparée du reste du pays. Le roi allait à la chasse, travaillait dans son atelier et la reine dansait, jouait aux cartes où elle perdait négligemment des sommes fantastiques.

2. la reine Marie-Antoinette: Elle avait beaucoup d'influence sur le roi et elle était complètement inconsciente de la réalité de la vie des paysans. Avec ses amis elle passait des semaines au Petit Trianon où elle jouait à la fermière.

3. les raisons de la réunion des États généraux: Le Trésor royal était vide et le roi a convoqué les États généraux parce qu'il voulait obtenir leur support pour instituer de nouveaux impôts.

4. La Fayette: C'était le plus célèbre des volontaires français dans la Guerre d'Indépendance des États-Unis. Il est devenu aide-de-camp de George Washington.

5. la prise de la Bastille: Le 14 juillet 1789, le peuple de Paris, qui avait faim et qui croyait que le roi allait attaquer la ville, a marché sur la Bastille pour chercher des munitions. Là, une bataille a commencé. Le gouverneur de la Bastille et plusieurs gardes suisses ont été tués. C'était le début de la Révolution française.

Vie et littérature

D **Indiquez les phrases qui vont ensemble.**

column 1
Voyages en France (Young)
1. On peut voir que les paysans sont très pauvres.   c
2. Le gouvernement refuse d'écouter le bon sens.   a
3. Les prix montent constamment, les troupes sont nécessaires pour donner un peu de sécurité aux gens.   b

Souvenirs (Mme Vigée-Lebrun)
4. Mme Vigée-Lebrun était la portraitiste officielle de la reine.   d
5. On voit que la réputation de la reine n'était pas bonne.   f
6. La reine était belle et majestueuse.   e

«La Prise de la Bastille par un de ses défenseurs» (Deflue)
7. Au commencement, la situation était grave pour cet officier suisse qui défendait la Bastille.   h
8. Les membres du Comité ne sont pas très rationnels.   i
9. Les foules sans contrôle sont capables d'actions extrêmes.   j
10. Qu'est-ce que Louis XVI a fait en réponse aux atrocités de la prise de la Bastille?   g

column 2
a. Il continue à appliquer des mesures désastreuses.
b. C'est une situation qui ne peut pas durer.
c. Ils n'ont pas de souliers, pas de sabots, pas de chaussettes.
d. Les images de la reine que nous avons sont signées de cette artiste.
e. Mais elle avait probablement l'air insolent.
f. Tout le monde pensait qu'elle avait posé en chemise pour ce grand portrait.
g. Le roi n'a rien fait. Il n'a puni personne.
h. Oui, il pensait que la foule allait l'exécuter.
i. Non. D'abord ils veulent le pendre et puis ils l'acceptent avec enthousiasme.
j. Hélas, c'est vrai. Les gens se sentent protégés par l'anonymité.

E **Répondez aux questions suivantes en deux ou trois phrases.**

1. Quelle était l'opinion de Young de la situation en France en 1787 et en 1789? Il croyait que la misère qu'il avait vue montrait la vraie situation en France, que le gouvernement était inflexible, et que la situation ne pouvait pas durer.

2. Pourquoi le peuple était-il furieux contre Marie-Antoinette? Il était furieux contre elle parce qu'elle dépensait des sommes énormes et semblait inconsciente de la misère de son peuple.

3. Qu'est-ce qui est arrivé aux gardes suisses le 14 juillet après la prise de la Bastille? Ils ont été faits prisonniers et conduits à l'Hôtel de Ville. Quand ils passaient dans la rue, les gens les insultaient, leur jetaient des pierres, et même en ont tué quelques-uns.

Perfectionnez votre grammaire

Les adjectifs

F **Récrivez les phrases en mettant les adjectifs indiqués à la place et à la forme correctes.**

1. Nous avons une maison (grand, moderne). <u>Nous avons une grande maison moderne.</u>
2. Voilà des parfums (délicieux, naturel). <u>Voilà des délicieux parfums naturels.</u>
3. Tu as acheté une voiture (petit, bleu, nouveau). <u>Tu as acheté une nouvelle petite voiture bleue.</u>
4. J'ai lu une histoire (long, fabuleux). <u>J'ai lu une longue histoire fabuleuse.</u>
5. Je connais des filles (fou) et des garçons (fou). <u>Je connais des filles folles et des garçons fous.</u>
6. Nous n'aimons pas les fleurs (artificiel). <u>Nous n'aimons pas les fleurs artificielles.</u>
7. Ce monsieur (charmant, vieux) a une collection de peintures (beau, ancien). <u>Ce charmant vieux monsieur a une collection de belles peintures anciennes.</u>

Autre, dernier, prochain

G **Récrivez les phrases en mettant les adjectifs indiqués à la place et à la forme correctes.**

1. Nous avions un examen la semaine (dernier). <u>Nous avions un examen la semaine dernière.</u>
2. J'espère que c'est l'examen (dernier) pour le moment. <u>J'espère que c'est le dernier examen pour le moment.</u>
3. Le jour (autre), il pleuvait. <u>L'autre jour, il pleuvait.</u>
4. Nous descendrons à la station (prochain). <u>Nous descendrons à la prochaine station.</u>

Les adjectifs qualifiés

H **Mettez les adjectifs à la forme correcte.**

Lise a une jaquette bleu <u>—</u> pâle, des chaussures marron <u>—</u> et blan<u>ches</u>, une blouse vert <u>—</u> vif, avec des raies orange <u>—</u>, turquoise <u>—</u> et bleu<u>es</u>.

Les négations autre que ne... pas

I **Répondez négativement.**

1. Est-ce que quelqu'un ici est malade? Non, <u>**personne ici n'est malade.**</u>

2. Dansez-vous la valse et la polka? Non, <u>**je ne danse ni la valse ni la polka.**</u>
3. Avez-vous quelque chose à me dire? Non, <u>**je n'ai rien à vous (te) dire.**</u>
4. Allez-vous encore à l'école élémentaire? Non, <u>**je ne vais plus à l'école élémentaire.**</u>
5. Jouez-vous du banjo et du saxophone? Non, <u>**je ne joue ni du banjo ni du saxophone.**</u>

Le participe présent

J **Répondez en employant le participe présent d'après les indications.**

1. Étudiez-vous <u>(tout) en regardant</u> la télévision? (regarder)
2. Réussit-on <u>**en travaillant**</u>? (travailler)
3. Qu'est-ce qu'on entend? On entend des voitures <u>**passant**</u> dans la rue, des élèves <u>**parlant**</u> dans la cour. (passer, parler)
4. <u>**En étudiant**</u> on a des bonnes notes. (étudier)

Composition

K **Écrivez une composition sur un des sujets proposés.**

1. Faites une description de votre personne et de votre costume aujourd'hui en employant beaucoup d'adjectifs et d'adjectifs qualifiés.

OU

2. Faites une description de votre maison ou de votre appartement en employant beaucoup d'adjectifs et d'adjectfis qualifiés.

NEUVIÈME ÉTAPE

Un peu d'histoire

Une sanglante Révolution

A **Vrai ou faux?**

1. Mirabeau a dit qu'il était très facile de finir une révolution.   F
2. «La Grande Peur» est un courant de violence qui traverse la France après la prise de la Bastille.   V

3. Le peuple de Paris a faim et pense que si le roi est à Paris il y aura du pain.   V

4. Après le 6 octobre, le roi est presque prisonnier aux Tuileries.   V

5. La famille royale se compose de cinq personnes.   V

6. Le roi et sa famille font une promenade à Varennes.   F

7. Après le 10 août, la famille royale est tout à fait prisonnière à la Tour du Temple.   V

8. La République est proclamée le 21 septembre 1792.   V

9. Le gouvernement de la Révolution décide de ne pas exécuter le roi.   F

10. La guillotine est une invention française.   F

B Mettez dans l'ordre chronologique en numérotant de 1 à 6.

l'exécution de Louis XVI   5
La famille royale est prisonnière au Temple.   3
La famille royale est emmenée de Versailles à Paris.   1
La République est proclamée.   4
La constitution est proclamée.   2

C Identifiez. (Répondez à *trois* questions.)

1. Le drapeau tricolore <u>remplace, depuis la Révolution, les trois fleurs de lis royales. Pour montrer qu'ils étaient patriotes, tous les citoyens mettaient le drapeau tricolore à leur fenêtre.</u>

2. *«La Marseillaise»* <u>est une marche composée par Rouget de Lisle pendant la Révolution. Elle est devenue l'hymne national de la France.</u>

3. Le système métrique <u>est une innovation de la Revolution. Il propose des unités fixes, comme le mètre, la seconde, l'ampère, etc.</u>

4. La formation des départements <u>est une innovation de la Révolution qui permet de centraliser la nouvelle nation sur Paris. Les départements remplacent les provinces.</u>

5. Le calendrier révolutionnaire <u>remplace le calendrier traditionnel, supprimé par la Révolution. Les 12 mois (avec des noms plus poétiques sont divisés en périodes de dix jours.</u>

Vie et littérature

D Indiquez les phrases qui vont ensemble.

column 1
«À Paris, sous la Terreur»

1. Ce monsieur avait entendu des histoires effrayantes sur les événements à Paris.   c

2. Il a frappé à la porte d'un ami.   b

3. Dans la rue, il fut frappé par un curieux mélange de couleurs.   a

4. Qu'est-ce que Rousseau a dit, en parlant de la liberté?   e

«Les dernières heures de Louis XVI» (Cléry)

5. C'est le valet de Louis XVI qui raconte ses dernières heures.   d

6. La scène des adieux est poignante. Quand a-t-elle lieu?   g

7. Louis semble tranquille et montre un grand courage en attendant la mort.   f

8. Les gardes traitent Louis avec mépris (*contempt*) et des insultes. Comment l'ex-roi réagit-il?   j

9. Louis a mis sa bague d'or dans sa poche.   i

10. Il a confié son fils à Cléry.   h

column 2

a. Toutes les fenêtres portaient un drapeau tricolore.

b. Cela a causé une panique à l'intérieur de la maison.

c. Mais rien ne le préparait à ce qu'il a trouvé en arrivant!

d. Il s'appelle Cléry et il a servi l'ex-roi jusqu'à la fin.

e. On ne parle jamais autant de liberté que dans un pays où elle a cessé d'exister.

f. Il dîne, il prie et il s'endort profondément.

g. La veille de l'exécution de Louis, le soir.

h. Hélas! le petit roi (Louis XVII) a été pris à sa mère et on n'est pas certain de sa fin.

i. Plus tard, elle sera donnée à sa fille Marie-Thérèse, seule survivante du Temple.

j. Il ne proteste pas. Il accepte l'inévitable avec courage.

Répondez aux questions suivantes.

1. Que pensez-vous de l'attitude des Parisiens sous la Terreur? Est-elle justifiée? Pourquoi? <u>Answers will vary.</u>

2. Que pensez-vous de la conduite de Louis XVI la veille et le matin de son exécution? Qu'est-ce que cette conduite montre? Auriez-vous la même conduite dans les mêmes circonstances? <u>Answers will vary but may include the following. Je pense que la conduite de Louis XVI était remarquable. Cette conduite montre qu'il avait beaucoup de courage. Answers will vary.</u>

Perfectionnez votre grammaire

Les pronoms possessifs

F **Complétez les phrases.**

1. J'ai préparé mon examen. As-tu préparé <u>le tien</u>?
2. Les Républicains ont leur point de vue et les Démocrates ont <u>le leur</u>.
3. Nous ne voulons pas changer de parents. Nous aimons <u>les nôtres</u>!
4. Ma sœur prend mes affaires quand elle ne trouve pas <u>les siennes</u>.
5. Tout le monde a des problèmes! Vous avez <u>les vôtres</u>, le président a <u>les siens</u> et moi j'ai <u>les miens</u>.

Les pronoms relatifs qui et que

G **Complétez les phrases.**

Les élèves <u>qui</u> sont dans cette classe passent l'examen <u>que</u> le professeur a préparé. Et les choses <u>qu'</u>ils pensent ne sont pas toujours flatteuses! Mais le professeur <u>qui</u> donne des notes <u>que</u> les élèves méritent a une réputation de justice.

Les pronoms relatifs: dont, ce dont, ce à quoi, ce qui, ce que et où

H **Complétez les phrases.**

1. Dites-moi <u>ce que</u> vous voulez et <u>ce à quoi</u> vous pensez.
2. Nommez <u>ce qui</u> est important dans votre vie.
3. Emportez tout <u>ce dont</u> vous aurez besoin pour le week-end.
4. Je n'aime pas jeter les choses <u>dont</u> je n'ai pas besoin.

5. Nous aimons faire <u>ce à quoi</u> nous réussissons bien.
6. Le jour <u>où</u> mes parents se sont rencontrés, ils ne pensaient pas qu'ils se marieraient!
7. Du moment <u>où</u> nous entrons en classe jusqu'au moment <u>où</u> nous sortons, nous écoutons <u>ce que</u> le professeur dit.

Les pronoms relatifs composés: lequel, auquel, duquel et leurs formes

I **Complétez les phrases.**

1. La guillotine sur <u>laquelle</u> tant de gens sont morts n'est plus employée aujourd'hui.
2. Ce sont les vacances <u>auxquelles</u> tu as rêvé depuis longtemps.
3. Tu admires ces chansons? Je ne sais pas <u>desquelles</u> tu parles.

Beaucoup d'interrogatifs: où, qui, qu'est-ce qui, qu'est-ce que, quoi, quel, combien, etc.

J **Complétez les questions.**

Un interrogatoire insistant
<u>Où</u> es-tu allé? <u>Qui</u> as-tu rencontré dans la rue? À <u>qui</u> as-tu parlé? <u>Qu'est-ce qu'</u>il t'a dit? <u>Qu'est-ce qui</u> se jouait au cinéma? <u>Qu'est-ce que</u> tu en penses? <u>Où</u> as-tu passé le reste du temps?

Un entretien avec le directeur de France-Télé
<u>Quel</u> emploi désirez-vous? <u>Que</u> savez-vous faire? <u>Où</u> avez-vous déjà travaillé? <u>Qui</u> vous a recommandé France-Télé? <u>Qu'est-ce qui</u> vous intéresse dans la télévision? <u>Combien</u> d'argent demandez-vous? <u>Comment</u> (*How*) avez-vous appris le français? <u>Pourquoi</u> (*Why*) désirez-vous travailler à Paris?

Composition

K **Écrivez une composition sur un des sujets proposés.**

1. L'esprit révolutionnaire. Avez-vous l'esprit révolutionnaire? Détestez-vous l'autorité ou au contraire, l'acceptez-vous bien? Aimez-vous les changements, le désordre, ou au contraire la routine et l'ordre? Expliquez pourquoi.

OU

2. **Je voudrais une voiture.** Alors, votre père et votre mère vous posent des questions et vous répondez pour les convaincre que vous avez besoin d'une voiture et que vous êtes assez responsable pour en avoir une. Quelles sont ces questions et vos réponses?

DIXIÈME ÉTAPE

Un peu d'histoire

Napoléon et le début du dix-neuvième siècle

A **Vrai ou faux?**

1. Napoléon vient d'une famille riche et puissante.	F
2. Napoléon devient empereur des Français presque mille ans après Charlemagne.	V
3. La campagne de Russie est une grande victoire pour Napoléon.	F
4. Les Cent-Jours est la période où Napoléon revient de l'Île d'Elbe et reprend le trône.	V
5. Napoléon a donné à la France son code civil et les lycées.	V
6. Le roi qui a succédé à Napoléon est le frère de Louis XVI.	V
7. Napléon n'est pas mort à Sainte-Hélène.	F
8. Aujourd'hui, un ruban rouge à la boutonnière est une distinction créée par Napoléon Ier (la Légion d'Honneur).	V

B **Mettez dans l'ordre chronologique en numérotant de 1 à 5.**

les Cent-Jours	4
le couronnement de Napoléon	1
la retraite de Russie	2
la bataille de Waterloo	5
l'exil à l'Île d'Elbe	3

C **Identifiez.**

1. Louis XVIII <u>est le frère de Louis XVI. Il devient roi après la défaite de Napoléon.</u>
2. Joséphine <u>est une belle créole, la femme de Napoléon. Elle devient impératrice.</u>
3. La Corse <u>est l'île dans la Méditerranée où Napoléon est né. Elle appartenait à l'Italie.</u>

4. L'Île de Sainte-Hélène <u>est l'île où Napoléon est exilé (et où il meurt) après la bataille de Waterloo.</u>

Vie et littérature

«Le retour de Russie» (Victor Hugo)

D **Complétez le vers en choisissant *a* ou *b*.**

1. On était vaincu ___.   **a**
   a. par sa conquête
   b. par la distance

2. Pour la première fois, l'Aigle ___.   **b**
   a. avait froid
   b. baissait la tête

3. On ne distinguait plus ___.   **a**
   a. les ailes ni le centre
   b. le visage des soldats

4. On voyait des clairons ___.   **b**
   a. qui jouaient de leur instrument
   b. à leur poste gelés

5. On n'avait plus de pain, et l'on allait ___.   **b**
   a. à Moscou
   b. pieds nus

E **Marquez les syllabes de ces vers.**

Sombres jours! L'empereur revenait lentement
Laissant derrière lui brûler Moscou fumant

<u>Som/bres/ jours/ L'em/ pe/ reur// re/ve/nait/ len/te/ment/</u>
<u>Lai/ssant/ de/rriè/re/ lui// brû/ler/ Mos/cou/ fu/mant</u>

«Les soirées d'hiver au château de Combourg» (Chateaubriand)

F **Répondez aux questions.**

1. Qui sont les personnages de cette scène? <u>Les personnages sont le jeune Chateaubriand, sa mère, son père et sa sœur.</u>
2. Où se passe la scène? <u>La scène se passe au château de Combourg.</u>
3. Quelle était l'atmosphère dans cette soirée de famille? <u>L'atmosphère était triste et sombre.</u>
4. Pourquoi la mère et la sœur du jeune garçon avaient-elles peur? <u>Elles avaient peur parce qu'on disait qu'un ancien comte de Combourg,</u>

mort depuis longtemps, revenait à certaines époques et qu'on l'avait rencontré dans le grand escalier. On disait aussi que parfois sa jambe de bois se promenait tout seul avec un chat noir.

«Le Lac» (Lamartine)

G **Répondez aux questions.**

1. Pourquoi peut-on dire que Lamartine personnifie la nature? <u>On peut dire qu'il personnifie la nature parce que dans le poème il s'adresse au lac, aux rochers, à la forêt comme si c'étaient des êtres vivants. Il dit «tu» au lac et quand il dit, par exemple, «Le flot fut attentif», c'est comme si le lac était capable d'écouter et de penser.</u>

2. «O temps! Suspends ton vol!» Que demande le poète par cette phrase? Pourquoi? <u>Il demande au temps de s'arrêter parce qu'il veut que le bonheur du moment dure plus longtemps. Le temps passe trop vite pour ceux qui sont heureux.</u>

3. Les poètes romantiques associent la nature à leurs émotions personnelles. Dans ce cas, peut-on dire que Lamartine est un romantique? Pourquoi? <u>Oui, on peut dire que Lamartine est un romantique parce qu'il associe le lac à son amour et à son bonheur en parlant de la soirée qu'il avait passée avec la femme qu'il aimait. Il demande à la nature de garder le souvenir de leur amour.</u>

Perfectionnez votre grammaire

Les verbes de communication

H **Mettez au discours indirect passé.**

1. «Comment allez-vous?» (je / demander) <u>Je vous ai demandé comment vous alliez.</u>

2. «Il y a une grande nouvelle aujourd'hui!» (la radio / annoncer) <u>La radio a annnoncé qu'il y avait une grande nouvelle ce jour-là.</u>

3. «N'oublie pas tes clés!» (vos parents / conseiller) <u>Mes parents m'ont conseillé de ne pas oublier mes clés.</u>

4. «Quelle idée bizarre!» (votre amie / s'exclamer) <u>Mon amie s'est exclamée que mon idée était bizarre.</u>

Qu'est-ce que et qu'est-ce qui dans le discours indirect

I **Mettez au discours indirect passé.**

1. «Qu'est-ce que vous cherchez?» (la vendeuse / demander) <u>La vendeuse a demandé ce que je cherchais.</u>

2. «Qu'est-ce qui fait ce bruit terrible?» (le professeur / demander) <u>Le professeur a demandé ce qui faisait ce bruit terrible.</u>

Les termes de temps: aujourd'hui, hier, demain, etc. changent.

J **Mettez au discours indirect passé.**

1. «J'arriverai demain.» Qu'est-ce que j'ai dit? <u>Vous avez dit que vous arriveriez le lendemain.</u>

2. «Je suis parti de Paris ce matin.» Qu'est-ce qu'il a dit? <u>Il a dit qu'il était parti de Paris ce matin-là.</u>

3. «J'ai lu *Le Lac* hier.» Qu'est-ce que Luc a dit? <u>Luc a dit qu'il avait lu *Le Lac* la veille.</u>

4. «Il pleut aujourd'hui.» Qu'est-ce que cet auteur a écrit? <u>Cet auteur a écrit qu'il pleuvait ce jour-là.</u>

K **Mettez la conversation suivante au discours indirect passé, en ajoutant les verbes de communication et d'expression.**

Une petite conversation entre Caroline et sa mère
—Mon Dieu, Caroline! Qu'est-ce qui t'arrive?
—Euh... eh bien, je suis allée chez le coiffeur ce matin.
—Mais je ne te reconnais pas! Qu'est-ce qu'il t'a fait?
—Il m'a coupé les cheveux style «rat mouillé» (*wet rat*) et il les a colorés en vert. Tu ne trouves pas que c'est joli?

<u>La mère de Caroline a demandé avec consternation ce qui arrivait à sa fille. Caroline a répondu avec hésitation qu'elle était allée ce matin-là chez le coiffeur. Sa mère s'est exclamée qu'elle ne la reconnaissait pas. Furieuse, elle a demandé ce que le coiffeur lui avait fait. Caroline a répondu qu'il lui avait coupé les cheveux style «rat mouillé» et elle a ajouté qu'il les avait colorés en vert. Elle a demandé sarcastiquement à sa mère si elle ne trouvait pas que c'était joli.</u>

Composition

L **Écrivez une composition sur un des sujets proposés.**

1. Le père de Chateaubriand insistait que son fils couche seul en haut d'une tour, avec un «fantôme» dans l'escalier. Que pensez-vous de ces méthodes d'éducation? Quel est le danger? Est-ce que le système a réussi dans le cas du jeune René?

OU

2. Racontez une conversation récente avec vos parents ou avec un(e) ou des ami(e)s. Employez le discours indirect. (Il a dit que... J'ai répondu que...) et les verbes d'expression et de communication.

ONZIÈME ÉTAPE

Un peu d'histoire

Le dix-neuvième siècle: Une succession de gouvernements; La machine à vapeur et la lampe à gaz

A **Vrai ou faux?**

1. La révolution industrielle est le grand mouvement du dix-neuvième siècle.   V
2. Louis XVI était le dernier roi de France.   F
3. La grande Révolution de 1789 n'était que le prélude à d'autres révolutions politiques.   V
4. Napoléon III est le fils de Napoléon Ier.   F
5. Le *Cinco de Mayo*, les Mexicains célèbrent leur victoire sur les troupes françaises.   V
6. La guerre de 1870 est une victoire de la France.   F
7. Les enfants travaillent dans les usines au dix-neuvième siècle.   V
8. Napoléon III ne s'intéresse pas à l'architecture de Paris.   F
9. Les premiers grands magasins n'ont pas de succès.   F
10. Pasteur est le fondateur de la microbiologie. V

B **Mettez dans l'ordre chronologique en numérotant de 1 à 6.**

le règne de Charles X   2
le règne de Louis XVIII   1
la Deuxième République   4
le règne de Louis-Philippe   3
le règne de Napoléon III   5
la Troisième République   6

C **Identifiez.**

1. Maximilien <u>est le frère de l'Empereur d'Autriche. Napoléon III l'envoie comme empereur au Mexique mais ses troupes sont vaincues par les Mexicains. Il devient empereur, néanmoins, mais il est vaincu par le sentiment nationaliste. Abandonné par Napoléon III, il est fusillé par les Mexicains.</u>

2. le siège de Paris <u>a lieu pendant la guerre de 1870 entre les Allemands et les Français. Les Allemands bombardent Paris, et les Parisiens, qui meurent de faim, sont obligés de manger chiens, chats, rats, etc. pour survivre.</u>

3. Haussmann <u>est l'architecte qui, sous Napoléon III, transforme Paris en coupant de grandes rues à travers les petites ruelles du vieux Paris.</u>

4. Le Bon Marché et les Galeries Lafayette <u>sont les premiers grands magasins parisiens. Ils ont un succès énorme.</u>

5. Louis Pasteur <u>est le père de la microbiologie. C'est lui qui a découvert l'existence des microbes. Son procédé de pasteurisation permet de conserver le lait.</u>

6. La Tour Eiffel <u>est une grande tour métallique à Paris, construite pour l'Exposition de 1889.</u>

Vie et littérature

«La mort de Gavroche» (Victor Hugo)

D **Indiquez les phrases qui vont ensemble.**

column 1
1. Cette scène se passe pendant une émeute à Paris.   f
2. Les insurgés n'ont plus de cartouches.   e
3. Gavroche est un jeune garçon très pauvre et sans famille.   d
4. Gavroche quitte la sécurité de la barricade pour aller chercher des cartouches.   b
5. L'enfant chante malgré le danger.   c
6. Une balle a frappé Gavroche. Est-il mort?   a

column 2

a. Il n'est pas mort, seulement blessé. C'est une deuxième balle qui le tue.

b. Les insurgés lui crient de revenir mais il continue à ramasser des cartouches.

c. Il chante pendant que les gardes nationaux tirent sur lui.

d. Les insurgés l'ont adopté. Il est le symbole de leur cause.

e. C'est pourquoi Gavroche va en chercher dans la giberne des gardes nationaux.

f. C'est une révolte des ouvriers et des étudiants contre le gouvernement.

E Répondez.

À votre avis, est-ce que Gavroche est héroïque ou simplement imprudent? Que pensez-vous de ses actions? **Answers will vary.**

«Le Dormeur du val» (Rimbaud)

F Répondez aux questions suivantes.

1. Ce poème est un sonnet. Qu'est-ce qu'un sonnet? **Un sonnet est un poème de 14 vers (deux strophes de quatre vers et deux strophes de trois vers). Il raconte une histoire, ou peint un tableau. Le dernier vers donne souvent la «clé» du poème. Les vers sont des alexandrins de douze syllabes.**

2. Le dernier vers donne souvent la «clé». Quelle est la révélation du dernier vers dans ce sonnet? **La révélation dans ce sonnet est que le jeune soldat ne dort pas—il est mort.**

3. Indiquez les syllabes dans les vers suivants.

Les parfums ne font pas frissonner sa narine.
Il dort dans le soleil, la main sur la poitrine.

Les/ par/fums/ ne/ font/ pas// fri/sson/ner/ sa/ na/ri/ne (syllabe muette)
Il/ dort/ dans/ le/ so/leil// la/ main/ sur/ la/ poi/tri/ne (syllabe muette)

Perfectionnez votre grammaire

Le passif

G Mettez les phrases suivantes au passif (en respectant le temps de la phrase active).

1. Un enfant chante cette chanson. **Cette chanson est chantée par un enfant.**

2. La presse a annnoncé les nouvelles. **Les nouvelles ont été annoncées par la presse.**

3. Votre coup de téléphone m'a surpris(e). **J'ai été surpris(e) par votre coup de téléphone.**

4. Un bulldozer démolira cette vieille maison. **Cette vieille maison sera démolie par un bulldozer.**

5. Tout le monde avait déjà admiré Pasteur de son vivant. **Pasteur avait déjà été admiré par tout le monde de son vivant.**

H Remplacez le passif pour former une meilleure phrase en français.

1. Ce que vous dites est facilement compris. **On comprend facilement ce que vous dites. (Ce que vous dites se comprend facilement.)**

2. La soupe est mangée surtout au dîner. **On mange la soupe surtout au dîner. (La soupe se mange surtout au dîner.)**

3. Votre voyage sera payé par vos parents. **Vos parents paieront votre voyage.**

4. Nous avons été invités au restaurant par mon oncle. **Mon oncle nous a invités au restaurant.**

5. L'accusé avait été condamné par le jury. **Le jury avait condamné l'accusé.**

L'emploi de l'infinitif dans les ordres et les défenses

I Donnez des ordres ou des défenses en employant *Prière de* ou *Défense de* d'après les indications.

1. marcher sur l'herbe (non) **Défense de marcher sur l'herbe.**

2. frapper avant d'entrer (oui) **Prière de frapper avant d'entrer.**

3. emmener le chien au restaurant (non) **Défense d'emmener le chien au restaurant.**

4. laisser les enfants jouer dans la rue (non) **Défense de laisser les enfants jouer dans la rue.**

5. attacher vos ceintures de sécurité (oui) **Prière d'attacher vos ceintures de sécurité.**

L'usage de l'infinitif dans une recette

J **Donnez une petite recette (de cuisine, de santé, de beauté ou de morale) en employant l'infinitif.**

<u>Answers will vary.</u>

Quelque chose, rien, pas grand-monde, pas grand-chose, etc. + préposition

K **Complétez par à ou *de*.**

1. Y a-t-il quelque chose <u>de</u> bon <u>à</u> manger ce soir?
2. As-tu trouvé quelque chose <u>à</u> regarder à la télé? Non, je n'ai rien trouvé <u>d'</u> intéressant.
3. Je ne vous ai pas écrit parce qu'on ne rencontre pas grand-monde <u>de</u> nouveau et il ne se passe pas grand-chose <u>à</u> raconter dans ma ville.

Composition

L **Écrivez une composition sur un des sujets proposés.**

1. Qu'est-ce qui a été fait dans votre chambre, dans votre maison, dans votre ville ou dans votre école pour l'embellir ou pour y rendre la vie plus agréable (ou moins agréable, si vous avez l'esprit pessimiste)?

   Exemple:
   Notre maison a été peinte en blanc et des fleurs ont été plantées à côté de la porte d'entrée.

   OU

2. Les ordres et les défenses (réels ou imaginaires): Vous rencontrez des défenses et des ordres tout autour de vous--dans la rue, dans le parc, au cinéma, à l'école, au stade. Quelles sont ces défenses et ces ordres?

   Exemple:
   Défense de placer votre chewing-gum sous le siège au cinéma.
   Prière de jeter vos papiers dans les corbeilles.

DOUZIÈME ÉTAPE

Un peu d'histoire

Le vingtième siècle: Âge de grand progrès

A **Vrai ou faux?**

1. La première moitié du vingtième siècle est marquée par cinq guerres mondiales.   F
2. On pensait que la guerre de 1914-1918 était la dernière.   V
3. Après la Première Guerre mondiale, l'Allemagne avait faim et peur du communisme.   V
4. La Seconde Guerre mondiale a commencé à cause de l'attaque de la Pologne par les troupes de Hitler.   V
5. La France et l'Angleterre sont vaincues en 1940.   F
6. Les Américains ont aidé la France et l'Angleterre dans les deux guerres mondiales.   V
7. Le débarquement de Normandie était une erreur stratégique.   F
8. Les pays d'Europe ont décidé de remplacer les vieilles haines par une Union européenne.   V
9. Il n'y a pas d'immigration en France de nos jours.   F
10. Les nouveaux monuments de Paris sont la Tour Eiffel et une gare.   F

B **Mettez dans l'ordre chronologique en numérotant de 1 à 6.**

le Traité de Versailles (qui rend l'Alsace-Lorraine à la France)	2
l'expérience socialiste	6
le débarquement de Normandie	4
la fondation de la Communauté économique européenne	5
la Première Guerre mondiale	1
Adolf Hitler gouverne l'Allemagne	3

C **Identifiez. (Choisissez 4 questions.)**

1. l'Alsace-Lorraine <u>est rendue à la France par le Traité de Versailles (1919).</u>

2. Les Forces françaises libres <u>sont les troupes françaises qui ont échappé aux Allemands en 1940 et qui se regroupent en Angleterre autour du général de Gaulle.</u>

3. Le général de Gaulle <u>est le chef des Forces françaises libres. Après la guerre il deviendra la Président de la République.</u>

4. Le Plan Marshall <u>est une aide économique offerte par les États-Unis aux Alliés et aux Allemands pour reconstruire leurs pays après la guerre.</u>

5. L'immigration en France: <u>Depuis 20 ans, un grand nombre d'émigrés d'Afrique du Nord et de l'Afrique subsaharienne sont venus en France apportant leur culture et leur religion (l'islam). Il y a eu parfois des conflits mais c'est une situation qu'il faudra accepter et tourner à l'avantage de tous.</u>

6. Le TGV <u>est le train à grande vitesse. Il relie les grandes villes les unes aux autres et à Paris.</u>

7. Le Musée d'Orsay <u>est une ancienne gare qui a été transformée en musée de l'Impressionnisme.</u>

8. Le tunnel sous la Manche <u>est un tunnel qui relie la France à l'Angleterre.</u>

Vie et littérature

D **Répondez à ces quatre questions générales sur le vingtième siècle.**

1. Nommez deux romanciers du vingtième siècle. <u>Answers will vary but may include any two of the following. Anatole France, Gide, Sartre, Camus, Robbe-Grillet, Butor, Simon, Sagan, Mallet-Joris, Sarraute, Duras, Yourcenar.</u>

2. Albert Camus étudie l'absurdité de la condition humaine ou écrit des poèmes? <u>Il étudie l'absurdité de la condition humaine (dans ses romans, récits, essais et pièces de théâtre.)</u>

3. Nommez deux femmes écrivains du vingtième siècle. <u>Answers will vary but may include any two of the following. Natalie Sarraute, Marguerite Duras, Marguerite Yourcenar, Françoise Mallet-Joris, Françoise Sagan.</u>

4. Expliquez le terme «littérature francophone». <u>La littérature francophone est la littérature écrite en langue française par des auteurs qui viennent des pays où le français est soit la langue officielle, soit une langue véhiculaire (l'Afrique du Nord et de l'Ouest, le Québec, la Belgique, la Suisse, etc.)</u>

«Pour faire le portrait d'un oiseau» (Prévert)

E **Voilà huit choses qu'il faut faire pour faire le portrait d'un oiseau. Mettez-les dans leur ordre logique.**

signer le tableau	8
effacer les barreaux	4
faire le portrait de l'arbre	5
arracher doucement une des plumes de l'oiseau	7
attendre que l'oiseau se décide à chanter	6
se cacher derrière l'arbre	3
attendre	2
peindre une cage	1

F **Répondez.**

Qu'est-ce que Prévert nous explique: Est-ce seulement la «recette» pour faire le portrait d'un oiseau? Ou autre chose? <u>Answers will vary.</u>

«Le prêtre et le médecin» (Camus)

G **Répondez.**

1. Que savez-vous sur Albert Camus? <u>Answers will vary.</u>
2. Le morceau que vous avez lu est tiré de *La Peste*. Que représente ce titre?
3. Quels sont les deux personnages du passage que vous avez lu? Que représente chacun?

«La Leçon de piano» (Duras)

H **Indiquez les phrases qui vont ensemble.**

column 1
1. L'enfant refuse de répondre au professeur de piano.   d
2. La mère du petit garçon est fière de lui.   c
3. Le professeur de piano n'a pas des méthodes très sympathiques.   a
4. Ce qui se passe dehors intéresse le petit garçon.   b

column 2
a. Elle est furieuse, elle gémit, elle frappe le clavier.
b. La vedette qui passait sur la mer «lui passait dans le sang».
c. «Quel enfant j'ai fait là!» dit-elle joyeusement.
d. Il reste silencieux, il se gratte le mollet et il regarde par la fenêtre.

I **Répondez.**

On dit que Marguerite Duras est contre l'oppression sous toutes ses formes. Voyez-vous un exemple d'oppression dans ce passage? Expliquez.
<u>Answers will vary.</u>

«Naissance de mon petit frère»
(Amadou Hampâté Bâ)

J **Répondez aux questions suivantes.**

1. Dans quel pays se passe cette scène? <u>Cette scène se passe au Mali.</u>

2. Est-ce que l'arrivée du nouveau bébé est un événement heureux pour le village? Expliquez. <u>Oui, c'est un événement très heureux pour le village. Tout le monde apporte des cadeaux et le doyen du village dit que le bébé est l'envoyé du ciel aux habitants du village. Même un des dieux doit faire une apparition au village en l'honneur du nouveau-né.</u>

3. Voyez-vous l'évidence de traditions africaines dans ce passage? Lesquelles? <u>On invoque Youssouffi, le patron des mères, pour faciliter la naissance. On appelle le bébé Woussou-Woussou, le nom traditionnel qu'on donne aux bébés avant qu'ils reçoivent leur nom officiel. On apporte au bébé des cadeaux traditionnels: du savon, du sel, du miel, du beurre de karité. Le doyen du village tend une calebasse d'eau claire à la mère et lui demande d'en verser quelques gouttes dans la bouche de son enfant. Toutes les familles apportent des cadeaux à la mère.</u>

4. Est-ce que ce passage vous donne le sentiment que ce village représente une communauté amicale ou bien des gens hostiles? Expliquez. <u>Ce village représente une communauté amicale—tout le monde est heureux à cause de la naissance du bébé, ils apportent des cadeaux, ils croient que le bébé est l'envoyé du ciel, etc.</u>

Perfectionnez votre grammaire

Note: Since there is no grammar section in this last *Étape*, you may wish to give students the following questions, which review important points from each of the preceding 11 chapters of *Trésors du temps*.

Les expressions avec être et avoir

1. Complétez.

Quand on **est** malade, on **a** mal à la tête, on **est** fatigué et on **a** la fièvre. On a besoin **d'** aspirine. Mais vous n(e) **avez** pas l'intention **d'** être malade pendant les vacances, n'est-ce pas?

Les verbes réguliers et irréguliers des trois groupes

2. Complétez par la forme correcte du verbe.

a. Je ne **m'ennuie** (s'ennuyer) pas en classe et je ne **m'inquiète** (s'inquiéter) pas parce que je suis préparé(e).
b. En hiver, la neige **couvre** (couvrir) le sol. Au printemps, les arbres **fleurissent** (fleurir). Nous **sortons** (sortir) sans jaquette et nous **finissons** (finir) la saison de football.
c. **Comprenez**-vous (comprendre) les problèmes politiques? **Attendez**-vous (attendre) l'âge de voter avec impatience? Beaucoup de gens ne **prennent** (prendre) pas les responsabilités civiques sérieusement.

Le passé

3. Quelle est la forme correcte du verbe: passé composé ou imparfait?

Quand j(e) **étais** (être) enfant, j(e) **allais** (aller) à l'école primaire. J(e) **apprenais** (apprendre) à lire très vite. Un jour, le professeur **a dit** (dire) que j(e) **avais** (avoir) des talents extraordinaires! Hélas, c'est la dernière fois que j(e) **ai entendu** (entendre) ces paroles!

Les pronoms d'objet et leur place (le, la, l': les; lui: leur; y, *et* en)

4. Répondez affirmativement et négativement à chaque question. Employez des pronoms.

a. As-tu le journal? Oui, <u>je l'ai</u>. Non, <u>je ne l'ai pas</u>.
b. As-tu de l'argent? Oui, <u>j'en ai</u>. Non, <u>je n'en ai pas</u>.
c. Tes parents ont-ils une voiture? Oui, <u>ils en ont une</u>. Non, <u>ils n'en ont pas</u>.
d. Me donnez-vous la réponse? Oui, <u>je vous la donne</u>. Non, <u>je ne vous la donne pas</u>.
e. Allons-nous au match de football? Oui, <u>nous y allons</u>. Non, <u>nous n'y allons pas</u>.
f. Mettez-vous vos affaires par terre? Oui, <u>je les y mets</u> . Non, <u>je ne les y mets pas</u>.

Y *et* en

5. Quelle est la question? Employez des pronoms.

a. J'ai de l'argent. <u>Tu en as</u>?
b. Tu vas en Europe. <u>Tu y vas</u>?
c. Je t'ai apporté des fleurs. <u>Tu m'en as apporté</u>?

Le futur, le futur antérieur, le conditionnel et le conditionnel passé

6. Mettez les phrases suivantes au temps qui convient.

a. Quand nous <u>arriverons</u> (arriver), tu <u>seras</u> (être) à l'aéroport.
b. Aussitôt que je <u>saurai</u> (savoir) la réponse je vous la <u>donnerai</u>. (donner)
c. Ma mère m'a dit que si je <u>finissais</u> (finir) ma composition, je <u>pouvais</u> (pouvoir) aller au cinéma avec vous.
d. Si les Français <u>avaient compris</u> (comprendre) les intentions d'Hitler, ils <u>auraient pris</u> (prendre) d'autres mesures.

Le subjonctif

7. Complétez les phrases. Employez le subjonctif après *il faut*.

Il faut: que nous <u>apprenions</u> (apprendre) le français, que nous <u>allions</u> (aller) à l'université, que nous <u>préparions</u> (préparer) notre avenir, que je <u>puisse</u> (pouvoir) entrer dans une école de médecine et que je <u>sache</u> (savoir) ce que je veux faire de ma vie.

8. Complétez les phrases par le subjonctif, l'indicatif ou l'infinitif.

a. Contrôlons la violence à la télé de peur que les enfants <u>apprennent</u> (apprendre) de mauvaises leçons. À moins d(e) <u>avoir</u> (avoir) de bons exemples sous les yeux, les enfants imitent les mauvais.
b. Il faut <u>manger</u> (manger) pour vivre et non pas <u>vivre</u> (vivre) pour manger.
c. Pour que vous <u>passiez</u> (passer) de bonnes vacances, il faut <u>finir</u> (finir) l'année en beauté.

Les verbes pronominaux

9. Complétez les phrases.

au présent:
Quelquefois, on <u>se demande</u> (se demander) pourquoi on <u>s'amuse</u> (s'amuser) ou on <u>s'ennuie</u> (s'ennuyer). En fait, il suffit de <u>se décider</u> (se décider) à ne jamais <u>s'ennuyer</u> (s'ennuyer).

au passé:
Mes parents <u>se sont rencontrés</u> (se rencontrer) un jour où ma mère <u>se promenait</u> (se promener). Elle <u>s'est approchée</u> (s'approcher) d'un peintre pour admirer son tableau. Il <u>s'est retourné</u> (se retourner). Ils <u>se sont souri</u> (se sourire) et voilà: Ils <u>se sont mariés</u> (se marier) six mois plus tard.

L'adjectif qualificatif

10. Placez et accordez les adjectifs.

a. C'est une peinture (beau, impressionniste). <u>C'est une belle peinture impressionniste.</u>
b. Admirez cet arbre (beau, vert), ces fleurs (joli, bleu pâle et rouge vif). <u>Admirez ce bel arbre vert, ces jolis fleurs bleu pâle et rouge vif.</u>
c. Remarquez aussi ces fruits (orange), ces maisons (gris clair) et les voiles (blanc) de ces bateaux (petit). <u>Remarquez aussi ces fruits orange, ces maisons gris clair et les voiles blanches de ces petits bateaux.</u>
d. Nous avons remarqué ce tableau la fois (dernier) que nous avons visité le musée, l'année (dernier). <u>Nous avons remarqué ce tableau la dernière fois que nous avons visité le musée, l'année dernière.</u>

11. Complétez les phrases avec les pronoms indiqués.

possessifs

Voilà mes affaires et voilà les <u>tiennes</u>. Vos parents sont gentils et les m<u>iens</u> aussi. Votre opinion et la n<u>ôtre</u> sont différentes.

relatifs

Les gens <u>que</u> je préfère sont ceux <u>qui</u> ne me ressemblent pas. Je vous offre un beau stylo avec <u>lequel</u> vous pouvez écrire votre roman. Vous parlez d'un politicien <u>qui</u> est à la télé maintenant. Avez-vous tout <u>ce dont</u> vous avez envie dans la vie?

démonstratifs

C'est ma maison et c'est <u>celle</u> de mes grands-parents. Vous voulez un livre? Voulez-vous <u>celui-ci</u> ou <u>celui-là</u>?

interrogatifs

<u>Qui (Qui est-ce qui)</u> frappe à la porte? <u>Qu'est-ce que</u> vous avez à la main? <u>Qu'est-ce que</u> vous voulez savoir? Voilà deux voitures: <u>laquelle</u> préférez-vous? Vous avez besoin d'un renseignement? <u>Duquel</u> avez-vous besoin?

Les verbes de communication et d'expression et le discours indirect

12. Mettez au discours indirect en ajoutant les verbes: *dire, répondre, s'exclamer, demander, ajouter, conclure,* etc. et *avec hésitation, furieux, avec inquiétude,* etc.

(C'est vous qui parlez.) «Papa, il faut que je te dise quelque chose...»
—«Qu'est-ce que c'est?»
—«Euh... ta voiture était dans un petit accident hier.»
—«Quelle sorte d'accident?»
—«Euh... Un arbre l'a frappée. C'est la faute de l'arbre. Il était au bord de la route.»
—«Nous éclaircirons ça plus tard. Je peux te dire que tu ne conduiras plus de voiture cette année.»

Answers will vary but may include the following. <u>J'ai dit àmon père qu'il fallait que je lui dise quelque chose. Il m'a demandé ce que c'était. J'ai répondu avec hésitation que sa voiture avait été dans un petit accident la veille. Il m'a demandé avec inquiétude quelle sorte d'accident c'était. Je lui ai répondu avec hésitation qu'un arbre l'avait frappée et que c'était la faute de l'arbre. J'ai ajouté que l'arbre était au bord de la route. Mon père, furieux, s'est exclamé que nous éclaircirions ça plus tard et il a ajouté qu'il pouvait me dire que je ne conduirais plus de voiture cette année-là.</u>

Le passif

13. Mettez à la forme passive.

a. La police a arrêté un suspect. <u>Un suspect a été arrêté par la police.</u>
b Ma mère a planté ces fleurs. <u>Ces fleurs ont été plantées par ma mère.</u>
c. On donnera les nouvelles à midi. <u>Les nouvelles seront données à midi.</u>
d. On servirait des escargots à la cantine (mais les élèves n'en mangeraient pas). <u>Des escargots seraient servis à la cantine (mais ils ne seraient pas mangés par les élèves.)</u>

14. Mettez à la forme active en employant *on* ou un verbe pronominal.

a. Les romans de Victor Hugo sont beaucoup lus en France. <u>Les romans de Victor Hugo se lisent beaucoup en France. (On lit beaucoup les romans de Victor Hugo en France.)</u>
b. Cette pièce a été jouée par des acteurs célèbres. <u>Des acteurs célèbres ont joué cette pièce.</u>
c. Ce film n'aurait pas été regardé si la critique avait été mauvaise. <u>On n'aurait pas regardé ce film si la critique avait été mauvaise. (Ce film ne se serait pas regardé si la critique avait été mauvaise.)</u>
d. «Salut» est dit en France à la place de «Bonjour». <u>On dit «salut» en France à la place de «Bonjour». («Salut» se dit en France à la place de «Bonjour».)</u>

NOTES